Sten Nadolny

WEITLING
SOMMERF[

Roman

PIPER

Mehr über unsere Autoren und Bücher:
www.piper.de

Von Sten Nadolny liegen im Piper Verlag vor:
Netzkarte
Die Entdeckung der Langsamkeit
Selim oder Die Gabe der Rede
Das Erzählen und die guten Ideen
Ein Gott der Frechheit
Er oder Ich
Putz-und Flickstunde (mit Jens Sparschuh)
Weitlings Sommerfrische
Das Glück des Zauberers

MIX
Papier aus verantwor-
tungsvollen Quellen
FSC® C083411

FSC
www.fsc.org

Ungekürzte Taschenbuchausgabe
ISBN 978-3-492-30307-1
1. Auflage Juni 2013
5. Auflage Dezember 2020
© Piper Verlag GmbH, München 2012
Umschlaggestaltung: Kornelia Rumberg, www.rumbergdesign.de
Umschlagabbildungen: Getty Images/Vetta/o-che
Satz: Satz für Satz, Wangen im Allgäu
Gesetzt aus der Stempel Garamond
Druck und Bindung: CPI books GmbH, Leck
Printed in Germany

Meinem lieben und verehrten Kollegen
Horst Mönnich

Erstes Kapitel

Das Schiff

»Sicher ist, dass ich im Leben ein paar grundlegende Dinge nie begriffen habe, und ich weiß nicht einmal, welche.«

Nachts hatte Weitling diese Bemerkung auf einen Zettel geschrieben, noch halb im Schlaf, aber euphorisch, durchdrungen von einer grundlegenden Erkenntnis. Jetzt, auf der Terrasse am hellen Tage, las er die Zeilen wieder, sie kamen ihm etwas depressiv vor, allerdings nicht falsch. Es klang wie der Beginn von Selbsterkenntnis und Besserung. Nun liebte er am hellen Tage Sätze nicht, in denen zwar etwas steckte, aber nicht herauskam. Er war unschlüssig, wollte den Zettel weder aufheben noch wegwerfen. Neben seinem rechten Fuß war eine Bodenfliese locker. Er hob sie an, schob den Zettel darunter und murmelte: »Wiedervorlage!«

Der Ostwind hatte aufgebrist. Sollte er das Boot klarmachen? Richter a. D. Wilhelm Weitling blinzelte in die Nachmittagssonne über dem Chiemsee: Ja, das war kein schlechter Tag dafür.

In der Regel fand er das Segeln ein bisschen langweilig. Es diente hauptsächlich als Beweis dafür, dass ein Boot in Ordnung und dicht war, dass das Tuch richtig stand, die Blöcke nicht eingerostet waren und das Tauwerk hielt, was es sollte. Das ließ sich innerhalb einer Viertelstunde feststellen, und dann? Dann verging Zeit, viel Zeit. Im Übrigen verursachte die Segelei Rückenschmerzen, Schulter-schmerzen, Sonnenbrand und so etwas wie Melancholie, wenn der Wind einschlief. Freude machte hingegen die Pflege eines Bootes, all das Spachteln und Lackieren, Prüfen und Schrauben, das Voraussehen von Schäden und Gefahren. Kein Wunder, dass die Eigner mehr Zeit unter ihren Booten verbrachten als in ihnen und auf dem Wasser. Ihre Klage, sie kämen vor lauter Instandhaltung nicht zum Segeln, war ein wichtiger Teil des Genusses.

Eine ungetrübte Freude war auch das Arbeiten an der Bootshütte, in deren Dunkel das Boot vor Sturm und Hagel, Eis und Schnee sicher liegen sollte. Gewiss, das Grobziel von alledem hieß »Segeln«. Aber welchem Zweck diente es, wohin segelte man? Am Strandbad vorbei, einmal hin und her mit halbem Wind, wobei man eifrig schaute, ob jemand schaute. Zum Segelhafen nach Seebruck, weil da so viele andere Boote unterwegs waren. Ab und zu ein Geschwindigkeitsvergleich mit anderen Booten hart am Wind, aber wozu? Um es einem der bauchigen Jollenkreuzer zu zeigen? Ein langes, schlankes Boot war nun einmal schneller als so eine schwimmende Plastiklaube, das wusste man vorher. Oder man fuhr zur Fraueninsel, um dort deutlich teurer zu essen als daheim. Auf dem Rückweg dann die erwähnte Flaute, und eigentlich musste man auf die Toilette. So ketzerisch dachte Wilhelm Weitling längst über das Segeln und entschied sich gewöhnlich dagegen.

Aber er wollte sich auch nichts vormachen: Er hatte von seiner körperlichen Behendigkeit in Jahren und Jahrzehnten einiges eingebüßt, war schwerer geworden, in den Gelenken eingerostet, der Rücken tat ihm schon ohne Segeln weh. Zudem stand er nicht mehr so sicher auf den Füßen wie als Junge. Das Segeln konnte zur Strapaze werden, auch wenn sein Kopf immer noch genau wusste, wie mit

Wind und Neigung umzugehen war. Es war wie beim Radfahren: Man verlernt es nie, muss freilich noch aufsteigen, die Pedale treten und die Lenkstange führen können.

Ihm war vor dem Segeln, besonders dem Alleinsegeln, zunächst bange gewesen, darum hatte er es bis in den Hochsommer hinausgezögert. Immer hatte er noch etwas entdeckt, was an der Bootshütte oder am Boot zu basteln war, was gekauft und eingebaut werden musste. Beim Umgang mit Seilwinden, Beschlägen, Schrauben, Brettern, mit Pinsel und Farbe konnte ihm nichts Schlimmes passieren. Außer wenn er das alles ohne einen Willen zum Abschluss immer weiter betrieb, dann allerdings drohte Verblödung. Das hatte er ins Auge gefasst und das Boot schließlich doch einige Male gesegelt.

Das Ferienhaus, das er jetzt Sommer für Sommer mietete, hatte einst seinen Großeltern und Eltern gehört, er war darin aufgewachsen. Vater Weitling hatte es nach dem Tod seiner Frau einem von Wilhelms Volksschulfreunden verkauft, um ins Tessin zu ziehen. Das Haus stand hoch über dem Ostufer des Chiemsees, näher an Stöttham als an Chieming, hinter Bäumen verborgen und vom Fußweg am hohen Ufer im Sommer kaum zu sehen. Die Zufahrt mit dem Auto war nur über eine kleine Birkenallee von der östlich liegenden Landstraße her möglich. Man sah aus den Fenstern hauptsächlich Wald und Sträucher nach Westen wie nach Osten, einzig auf der Dachterrasse konnte man ungehindert westwärts auf den mächtigen See schauen.

Von außen sah das Haus immer noch so aus wie in Weitlings Kindheit. Und im Inneren waren zumindest die Dauergäste die gleichen geblieben: Im Winter bauten Mäuse ihre Nester im Sofa oder hinter der Spülmaschine, weil die elektrischen Frostwächter auch bei Eiseskälte ihr Überleben sicherten, im Frühjahr bekamen die Jungameisen Flügel und strebten unbeholfen durch das ganze Haus nach oben, im Sommer spannten eigensinnige Kreuzspinnen ihre Netze in jeden Türrahmen, im Spätherbst krabbelten überall verendende Wespen. Dazu im Garten eine muntere Population von Maulwürfen, Igeln, Mardern, Eichhörnchen, Katzen aus dem Dorf, Schnecken zuhauf. Krähenschwärme misstönten schon am frühen Morgen.

Hellhörig war das Haus wie eine Fregatte bei Flaute, und im Sturm ächzte und knarrte es zum Gotterbarmen. Feuchtigkeit war oft dort anzutreffen, wo sie nicht hingehörte, fehlte aber manchmal dort, wo man auf sie hoffte, die Wasserpumpe arbeitete unzuverlässig. Für einen Menschen, der naturnah leben wollte, war das Anwesen das reinste Paradies.

Was Weitling vermisste, waren die unendlich vielen Bücher, die in seiner Jugend die Wände gefüllt hatten. Fast jeden Tag stutzte er, weil er Meyers Konversationslexikon aus dem Jahre 1904 nicht mehr dort sah, wo es jahrzehntelang gestanden hatte. Und wie gern hätte er noch einmal in den Kinderbüchern gelesen: in den *Oberheudorfer Buben- und Mädel-Geschichten*, in Else Urys *Nesthäkchen* oder auch nur in dem Ermutigungsbuch, das er als ehrgeiziger Sechzehnjähriger studiert hatte, als wäre es der Katechismus, Fritz Pachtners *Richtig denken – Richtig arbeiten*. Die Wörter »denken« und »arbeiten« waren auf dem Umschlag unscheinbar klein und schwarz geschrieben, das zweifache »Richtig« hingegen leuchtete rot in Schreibschrift, wie von einem Lehrer am Rand einer guten Arbeit hinterlassen, weshalb Vater das Werk mit mildem Spott als das »Richtig-Richtig-Buch« bezeichnet hatte. Enthielt es Nützliches? Weitling erinnerte sich noch, dass es ein Kapitel »Aufgeben – nie!« gegeben hatte, ferner die Empfehlung, eine »Wissenskartei« anzulegen, damit man auf jedem Gebiet irgendwelche Details wusste und »mitreden«

konnte. Natürlich hatte Willy eine solche Sammlung begonnen und für die zu erwartenden Informationen Kuverts beschriftet: »China und sonstige Ostblockstaaten, außer Sowjetunion«, »Technische Hilfsmittel, Apparaturen usw.« und »Laufbahn, eig. Zukunft«. Teil dieses Wissensvorrats war auch das Kuvert »Glaube usw.«.

Aber nicht nur die Bücher seiner Jugend vermisste er, auch die Möbel, vor allem das erste und einzige, das ihm allein gehört hatte: ein Schränkchen, eigentlich nur eine Holzkiste mit Klapptür und zwei Schubladen, es war sein erster Schreibtisch, obwohl er noch kaum schreiben konnte.

Die Putzfrau, eine Frau Klähr, legte beim Saubermachen alle möglichen Gegenstände auf dieses Willy gehörende Möbel, Hefte, Schuhe, Nachttopf, und ließ dann alles dort. Wütend hatte er einen Bleistift in die Hand, nein, in die Faust genommen und in die Oberfläche des Kistchens gekratzt: »BITTE NICHZ HINLEGEN!!! FERST«. Aus Ferst hatte »ferstanden?« werden sollen, aber sein Zorn auf Frau Klähr hatte die Buchstaben zu groß werden lassen, das »anden« musste entfallen. Die Putzfrau häufte weiterhin alles auf Willys Schreibkiste, von »ferst« konnte keine Rede sein. Gäbe es das Ding noch, dachte Weitling, ich würde es als Talisman aufbewahren wie Citizen Kane den Schlitten »Rosebud«. Es wäre ideal gewesen, um das Faxgerät draufzustellen.

Schade auch, dass es den Treppenläufer nicht mehr gab, der mit runden Holzstäben in den Stufenwinkeln fixiert war. Nahm man diese Stäbe heraus, hatte man wunderbare Degen, um mit Freunden aus dem Dorf »Drei Musketiere« zu spielen. Einmal fochten sechs Buben im Garten, drei Stötthamer gegen drei Chieminger Musketiere. Der nichts ahnende Vater aber rutschte auf dem losen Läufer aus und setzte sich schmerzhaft auf den Steiß.

Weitling hatte zwei direkte Nachbarn: Siebzig Meter nördlich stand am höchsten Punkt des Uferwegs eine kleine Villa und südlich, deutlich unterhalb des Weitling-Hauses in einer kleinen Lichtung, das Holzhäuschen einer Försterswitwe, auch sie längst tot. Als Junge hatte er ihr den Namen »Dommelfey« gegeben, nach der Kräuterfrau in Waldemar Bonsels' *Mario und die Tiere*. Wer jetzt in diesen Häusern wohnte, wusste er nicht, vielleicht waren es ebenfalls Feriengäste.

Es war ihm gelungen, die alte Bootshütte unterhalb des Anwesens zu kaufen, die bisher nie zum Haus gehört hatte. Als Halbwüchsiger war er von den Besitzern verscheucht worden, wenn er sich nach dem Baden auf ihrem Dach sonnen wollte. Dass sie ihm jetzt gehörte, bestärkte ihn in dem Gefühl, im Leben doch das eine oder andere erreicht zu haben, außerdem war es ausgleichende Gerechtigkeit. Und weil eine Bootshütte nicht nur Badehütte sein soll, hatte er sich dann auch ein Boot zugelegt, eigentlich einen Kahn mit Segel, genannt Plätte, Chiemseeplätte.

Als Junge hatte er so ein Boot gesegelt, man konnte Plätten in den Fünfzigerjahren mieten, tausend Meter weiter südlich in Chieming bei Franz Peteranderl, dem »Wegmacher-Franz«. Weil dessen Familie es generationenlang übernommen hatte, in der Gemeinde Wege auszubessern, hieß der Hof »beim Wegmacher« und die Mole, an der die Boote festmachten, der Wegmacherzipf.

In Bayern hieß alles, was aus Kies bestand und in einen See ragte, ein »Zipf«. Diesen hier gab es nur, weil der Bootsverleiher jahrelang Steine zusammengetragen und aufgeschichtet hatte. Wenn Kinder solche Steine ins Wasser warfen, weil sie schöner plumpsten als die kleineren, fuhr er fuchsteufelswild aus seiner Hütte und verjagte sie mit Beschimpfungen und Drohungen. Das war verständlich: Er musste Woche für Woche die hohen Gummistiefel anziehen und die Steine mit der Mistgabel wieder an ihren Ort bringen, damit es weiter eine Mole gab.

Franz, der seit einem Motorradunfall ein krummes Bein hatte, saß die meiste Zeit am Fenster und prüfte mit dem Glas, wie es den verliehenen Booten draußen auf dem See ging oder, wie er sie nannte, den Schiffen. Das bäuerliche Bairisch kennt keine Boote, und dem Wegmacher Franz zu Ehren nannte auch Richter Weitling sein Boot in der Regel »mein Schiff«. Als Junge hatte er es damals geschafft, beim Wegmacher kostenlos segeln zu dürfen. Mehr noch: Gegen einen Stundenlohn von 1,50 DM fuhr er Sommergäste spazieren, es war sein erstes selbstverdientes Geld. Damals hatten sogar Flauten ihr Gutes.

Und jetzt? Meist entschied er sich auch an sonnigen Tagen schon beim Frühstück dafür, heute lieber Sinnvolleres zu tun als zu segeln, etwa an einem Rechtsgutachten zu arbeiten oder zum hundertsten Mal sein Manuskript durchzusehen. An diesem Buch schrieb er seit Jahren, es hatte den Arbeitstitel »Ursprung und Zukunft des Rechtsempfindens« und sollte seine philosophischen und religiösen Gedankengänge mit den Erfahrungen als Jurist verbinden. Ja, religiös, Weitling bezeichnete sich als gläubigen Menschen.

Wilhelm Weitling, Richter a. D., Hauptadresse in Berlin-Charlottenburg, war seit Jahrzehnten verheiratet, allerdings kinderlos. Seine Frau betrieb einen kleinen Laden für Geschenkkartons im Bezirk Prenzlauer Berg und hatte einen großen Freundeskreis. Weitling selbst kannte man außerhalb von Berliner Juristen- und Polizeikreisen und Strafanstalten so gut wie nicht. Nannte er seinen vollen Namen, dann fiel dem Gegenüber meist ein Frühkommunist ein: Wilhelm Weitling, Schneidergeselle und eigensinniger Gegner von Karl Marx. Dann musste er antworten: »Kompliment, Sie wissen ja gut Bescheid!«

Gewiss gab es in der Welt viele Weitlings, unter ihnen auch manchen Wilhelm. Dass er, der Richter Weitling, diesen Vornamen erhalten hatte, hing aber mit der historischen Gestalt direkt zusammen. Sein Vater, der Schriftsteller Hansjörg Weitling, hatte Sympathien für Utopisten, außerdem hasste er sowohl das Hitler-Regime als auch sein eigenes konservatives Elternhaus. So lag es für ihn nahe, seinen 1942 geborenen Sohn wie jenen Mann heißen zu lassen, den Rosa Luxemburg den »genialen Schneider« genannt hatte. Mochte man eine subversive Absicht vermuten, beweisen ließ sie sich nicht. Niemand konnte etwas gegen einen Wilhelm einwenden, der wilhelminische Großvater schon gar nicht.

Den angehenden Juristen brachte das später immerhin dazu, Schriften des zornigen Schneiders zu lesen, etwa *Die Menschheit, wie sie ist und wie sie sein sollte*, das Manifest des Bundes der Gerechten, der ersten kommunistischen Organisation. Die Lektüre war auch Gegenwehr: Sein Name sorgte in den Jahren ab 1968 für manche Spötteleien, da war es ratsam, über diesen frühen Propheten etwas zu wissen.

Sein eigenes Buch wollte er vielleicht »spes divina« nennen, »Göttliche Hoffnung«. Er wusste allerdings schon, dass Verlagslektoren lateinische Titel nicht schätzten. Er fand den Titel treffend – Recht und Hoffnung gehörten zusammen wie Rechtlosigkeit und Hoffnungslosigkeit, und noch eins: Man konnte »spes divina« auch als »Hoffnung Gottes« lesen, als das, was sich Gott von den Menschen erhoffte. Möglich schien ihm auch der Titel »Besserung«, aber vielleicht erwarteten die Leute dann Gesundheitstipps.

Die Aussicht, irgendwann mit seinen Gedanken und Appellen Anerkennung zu finden, gab Weitling ein behagliches Gefühl der Vorfreude. Zwar musste er nicht unbedingt auf seine alten Tage prominent werden, aber wenn irgendwann einmal jemand bei seinem Namen nicht mehr von dem Schneidermeister anfing, sondern ausrief: »Sie sind doch der mit dem Rechtsempfinden!« oder »Weitling, natürlich – die göttliche Hoffnung!«, dann sollte ihm das recht sein.

An diesem Septembernachmittag hätte Weitling auf seiner Dachterrasse sitzen bleiben und weiterarbeiten können, alles sprach dafür.

Zwischen Kaffeekanne und Kuchenteller lag, was er heute geschrieben oder, besser, was er gekürzt hatte. Zwar war sein Buch so gut wie fertig, es enthielt alles, was er mitteilen wollte. Jetzt wurde aber deutlich, dass es Überflüssiges enthielt, das zu streichen war. Andererseits musste er das Buch allmählich auf den Weg bringen, statt immer noch etwas zu verbessern. Er fürchtete sich etwas vor den Absagen. In keinem Verlag löst das unaufgefordert eingesandte Manuskript eines unbekannten pensionierten Beamten Begeisterung aus, das war ihm klar. Heute hatte er den Lebenslauf verfasst, den er beilegen wollte:

»Dr. iur. Wilhelm Weitling, 1942 in Berlin geboren und am Chiemsee aufgewachsen, studierte nach der Bundeswehrzeit Jura in München und Berlin. Er wurde promoviert mit der Dissertation ›Gemeines Recht gegen Gewohnheitsrecht. Zur Rechtsprechung des Reichskammergerichts von 1495 bis 1806‹. Er war in Berlin einige Jahre Staatsanwalt, dann Richter am Berliner Landgericht, 2007 ging er in den Ruhestand. Weitling ist verheiratet und lebt mit seiner Frau in Berlin und am Chiemsee.«

Nein, dachte Weitling, diesen Lebenslauf doch lieber weglassen. Wer wollte danach noch ins Manuskript schauen? Reichskammergericht, wer wollte das wissen! Gab es gar nichts Persönliches, Farbiges? »Begeisterter Segler« oder so? War allerdings gelogen. Vielleicht erwähnte er doch seinen Vater, den Schriftsteller. Vom Sohn eines nach wie vor beliebten Autors konnte man annehmen, dass er sich verständlich ausdrückte.

Drei Uhr. Es war ja doch schon etwas zu spät zum Segeln.

Er füllte die Tasse und wandte sich der Kreiszeitung zu. In ihr kamen Chieming oder gar Stöttham nur selten vor. Vielleicht war das ja ein gutes Zeichen: In Chieming passierte nichts. Andere Möglichkeit: In Chieming passierte jeden Tag so viel, dass die Zeitung es aufgegeben hatte, darüber zu berichten. Das Blatt wurde ihm zu früher Stunde in die Blechröhre am Osttor gesteckt. Nur der Zeitungszusteller wusste wohl überhaupt, wie das Haus zu finden war, schon Paketboten scheiterten. Sollte er hier je den Notarzt brauchen, fürchtete er das Schlimmste.

Auf dem Titelblatt der Zeitung war eine afghanische Soldatin zu sehen, im Offiziersrang vermutlich, eine reife Schönheit mit exakt gemalten Lippen, stark nachgezeichneten Augenbrauen, reichlich Gesichtspuder und Wimperntusche. Unter der majestätisch hohen grün-schwarzen Schirmmütze mit Goldverzierung und Hoheitszeichen trug sie ein Kopftuch, das Haar und Ohren bedeckte. Überschrift: »Weibliche Offiziere in Afghanistan«. Die Lokalnachrichten waren sparsam wie immer: Traunstein fühlte sich fit für die Zukunft, Ruhpolding beging den Tag der offenen Stalltür. Ein ruhiges Land.

Das Wetter an diesem Freitag lockte ihn nun doch, schon wegen des Ostwinds. Bei Westwind war das Ablegen ohne Bootssteg, gegen die Wellen, einigermaßen anstrengend, bei Ostwind hingegen brauchte man das Schiffchen nur aus der Uferflaute hinaustreiben zu lassen, bis der Wind das Segel voll erfasste. Für Weitling war heute der letzte Tag, den er allein verbrachte. Morgen würde Astrid ankommen und ihm viel aus Berlin erzählen wollen. Wenn also segeln, dann heute! Aber erst wollte er noch rasch lesen, wofür er die Zeitung abonniert hatte: die Todesanzeigen.

Er war so lange in Berlin gewesen, dass er im Chiemgau mehr Tote als Lebendige kannte. Letzten Sonntag hatte er nach dem Gottesdienst auf beiden Chieminger Friedhöfen murmelnd die Grabtafeln studiert: »Aha, die also auch schon« und: »Was, der war doch noch vor einem Jahr ganz gesund!« Aus der Zeitung wusste er, dass von seinen Traunsteiner Lehrern jetzt auch die starben, die zäh am Leben festgehalten hatten: vor zwei Jahren Georg Rohleder, ein leidenschaftlicher, löwenhafter Latein- und Deutschlehrer, im Frühjahr der verspielte und geduldige Musiker Kagerer, im Sommer Hans Thußbas, ein ruhiger Mann mit höflichem Herzen, Lehrer für Latein und Französisch. Vor Wochen hatte man Martin Schlachtbauer beerdigt, einen Mann von stoischer Ruhe und augurenhafter Heiterkeit. Schlachtbauer lehrte Latein, Griechisch und Geschichte. Er pflegte in einem Satz bis zu dreimal das Wort »hierbei« unterzubringen, wenn er über seine Formulierungen noch einmal nachdenken wollte. In Geschichte hielt er einen gusseisernen Frontalunterricht, der bestand aber aus guten, grundgescheiten Vorträgen.

Über Karl-Heinz Neukamm – Religion – hatte er kürzlich etwas gelesen, aber keine Todesanzeige. Der war jünger gewesen als alle anderen im Kollegium, ein schmaler Vikar, jedoch massiv in der Empörung. Evangelische Theologen wollten oft Luther nacheifern, mindestens im Zorn. Jung-Weitling, Willy genannt, hatte vor der Religionsstunde eine Stinkbombe unter die Fußmatte am Pult gelegt, ein Glaszwiebelchen mit gelber Flüssigkeit. Er wollte denjenigen Religionslehrer ärgern, der die Klasse normalerweise unterrichtete, den, der öfters in den Pausen zu ihm kam, ermunternd auf ihn einsprach und dabei übertrieben herzlich den Arm um ihn legte. Der kam aber heute nicht, sondern Neukamm als Vertretung. Die Stinkbombe funktionierte ohne Ansehen der Person, woraus eine Begegnung mit Luther und zwei Stunden Arrest wurden.

Jetzt ging Weitling ins Haus, steckte den Schlüssel zur Bootshütte ein, zog die zerschlissenen und bröseligen Turnschuhe an und blickte dann noch einmal auf den See. Der Wind schien konstant zu bleiben. Drüben an der Fraueninsel und vor der Nordwestküste rottete sich viel weißes Tuch zusammen – Jollen neigen zur Geselligkeit. In der Segelschule Gollenshausen hatte er sich einmal einem Wochenendkurs unterzogen, bei einem Kapitän, der im Krieg ein U-Boot befehligt hatte. Der konnte präzise erklären, was an einer »Patenthalse« gefährlich war, obwohl sie auf U-Booten praktisch nicht vorkam.

Er hörte den Außenbordmotor des Fischers und suchte mit dem Glas den See ab: Ja, vom nördlichen Teil der Chieminger Bucht strebte der Kahn heimwärts Richtung Landungssteg, merkwürdig um diese Tageszeit, denn der Mann arbeitete vorwiegend morgens. Vielleicht hatte er beim Netz etwas vergessen, und es war ihm wieder eingefallen?

Hinter dem See gegen Süden ruhten die Alpen, Hochgern, Wilder Kaiser, Hochplatte, im milden Seitenlicht der Nachmittagssonne. Rechts unterhalb der Kampenwand sah er die Autobahnsteigung am Bernauer Berg, sie bildete zwei kurze weiße Parallelstriche schräg aufwärts. Nach Sonnenuntergang leuchtete der linke Strich weiß, der rechte rot, das machten Scheinwerfer und Rücklichter der Autoschlangen. Weitling freute sich darauf, nach dem Segeltörn auf der Terrasse die Sonne untergehen zu lassen und sich an dem Gedanken zu laben, dass er sein Leben einigermaßen würdig bestanden hatte. Er war, wenn er sich nicht auf Abenteuer einließ, sorgenfrei.

Der Ostwind wurde eher noch stärker, die Bäume rauschten nur so. Vielleicht schaffte er es sogar noch bis zur Fraueninsel und zurück. Es war Viertel nach drei.

Weitling ging die Treppen im Haus hinunter, dann über den vermoosten Waldpfad bis zum Holztürchen am Uferweg, schloss es auf und drehte sich noch einmal um. Das Haus war jetzt nur noch schwer auszumachen, zumal die Holzverschalung aus dem Jahr 1932 tiefdunkel geworden war, nur eine weiße Fensterumrandung schimmerte durchs Herbstlaub. Die Fichtenstämme allein hätten das Haus nicht verdeckt, aber die Büsche taten es, die Vater einst beiderseits des Weges angepflanzt hatte.

Während Weitling das Gartentürchen hinter sich abschloss, kamen Fußgänger, Radfahrer und ein Jogger vorbei. Der Jogger plagte sich mit der Steigung Richtung Aussichtspunkt und grüßte nicht, musste also auch nicht zurückgegrüßt werden. Droben würde er sich bestimmt auf der Bank niederlassen und den See überschauen. Oder er lief noch bis zum Gasthaus an der Schilfbucht hinunter und bestellte eine Limonade.

Noch weiter nördlich, auf dem Friedhof von St. Johann, lagen Weitlings Eltern und das Ehepaar Traumleben, das waren seine Großeltern mütterlicherseits, die das Haus am Hang gebaut hatten. Beide Familien stammten nicht aus der Gegend, sondern die Weitlings aus Ostpreußen und die Traumlebens aus Estland. Dass die Familie das Haus schon seit 1932 besaß, war dem kleinen Wilhelm nicht unwichtig gewesen: Verglichen mit den Flüchtlingskindern von 1945 war er ein Einheimischer.

Er überquerte den Uferweg und ging die Holztreppe zum See hinunter. Wäre es noch Morgen gewesen, er hätte der riesigen alten Buche am Hang einen Besuch abgestattet. Oder besser der ehemaligen Buche, denn jetzt stand von ihr nur noch ein fauliger Strunk. Auf ihr waren er und sein bester Freund herumgeklettert, ein Flüchtlingsjunge aus dem Sudetenland, dessen Eltern 1952 nach Kanada weiterzogen.

Jetzt wanderte Weitling auf dem Bohlenweg durchs Schilf und schaute auf seine Bootshütte. Ja, man sah, dass er an ihr gearbeitet hatte. Morsche Stellen waren ausgebessert, Dachpappe und Firstbretter neu. Gern hätte er noch einen Bootssteg gehabt, aber die Seenverwaltung stellte sich gegen neue Bauten von Privathand – das konnte er verstehen. Immerhin, alle paar Jahre wurde die Einfahrt ausgebaggert, obwohl das ebenfalls verboten war (der offizielle Ausdruck fürs Baggern hieß daher: »entschlammen«). Aus dem so verlagerten Kies war in einem halben Jahrhundert eine kleine Landspitze entstanden, der »Traumlebenzipf«.

Ganz in der Nähe, tief im Schilf, hatte er einst mit dem sudetendeutschen Freund einen heimlichen Hafen bauen wollen. Wie, darüber diskutierten sie und glühten vor Eifer. Ein Floß wollten sie dort unterbringen, ein Floß mit Segel, und sich damit auf den See wagen. Der schiere Albtraum, dachte Weitling jetzt, immer nasse Füße, niemals wirklich segeln. Kreuzen mit einem Floß? Mehr Abdrift als Vortrieb!

Er schloss die Tür auf und lächelte sein Schiff an: Das war doch etwas anderes.

Eine Chiemseeplätte ist nicht viel mehr als ein mit Luggersegel und Steckschwert versehener Fischerkahn, allerdings ist sie lang, sechs Meter dreißig, und ausgesprochen elegant. Sie zu segeln bedeutet jede Menge Springen, Ducken und Bücken, das Boot ist rank. Vor allem hat es kein Waschbord oder Schandeck, schon bei wenig Seitenneigung schwappt leicht Wasser über die schmale Bordoberkante ins Innere. Volllaufen und Kentern des Bootes droht schon bei einigermaßen kräftigem Wind, sobald dem Segler ein Fehler passiert. Etwa die erwähnte »Patenthalse«: Der achterliche Wind fasst von der verkehrten Seite ins Segel und lässt den Großbaum einmal quer übers Boot mähen, da heißt es schnell den Kopf einziehen. Nun taucht der Bootsrand tief ins Wasser, denn der ausgleichende Ballast – das sind die Segelgäste – sitzt auf der falschen, also der jetzt eingetauchten Seite. Wasser strömt ein, das Boot wird zur Badewanne. Mit gespenstischer Langsamkeit kippt es weg, bis sein Segel schließlich unlösbar auf dem Wasser klebt, Menschen, Paddel und Bodenroste treiben in den Wellen, Handy und Fotoapparat torkeln abwärts zu den Fischen. Dreht sich das Boot einhundertachtzig Grad um seine Längsachse, verabschieden sich auch der Mast und das Steckschwert. Letzteres reißt auf dem Weg zum Grund oft auch noch den oberen Teil des Schwertkastens ab, weil der Sicherungsstift sich verklemmt – dieser ist mit einer Kette am Schwertkasten befestigt.

Aber Plättensegeln ist auch ohne Unfall schon anstrengend. Eine Bö fällt ein, ein Tau ist nicht gut genug belegt, das Schwert hat Grundberührung und muss schnellstens gehievt werden, damit der Schwertkasten heil bleibt. Dieser ist eindeutig der gefährdetste Teil dieses Bootstyps.

Vor zweiundfünfzig Jahren, als Sechzehnjähriger, hatte Weitling sich mit einer Plätte vom Wegmacher-Franz auf den Weg zur anderen Seeseite gemacht und war von einem Sturm überrascht worden, der sein rasch havariertes Schiff zum Ostufer zurücktrieb. Er klammerte sich fest, schluckte reichlich Wasser, ertrank fast unter dem sich drehenden Kahn, riss sich an einer herausstehenden Schraubenspitze die rechte Hand auf und erreichte das Ostufer völlig erschöpft, gebeutelt wie eine Ratte in der Waschmaschine und mit heftig blutender Hand. Die Plätte war so beschädigt, dass sie für Monate in die Werft ging, Vater Weitling musste für die Reparatur einiges Geld hinlegen. Weitling erinnerte sich noch daran, wie bei seiner Ankunft am Wegmacherzipf der Strand trotz heftigen Regens voller Menschen gewesen war, alle wollten sehen, ob mit diesem Wrack noch jemand ankam und ob der lebte oder tot war.

Auch damals, 1958, war September gewesen. Er war schon am nächsten Tag wieder in die Schule gegangen, obwohl er sich mit der verletzten Hand beim Schreiben schwertat. Erste Stunde: Lateinarbeit bei Schlachtbauer, der das blaue Auge »beeindruckend« nannte. Die Narbe im Handteller gab es immer noch, sie war weiß, langgezogen und verästelt.

Statt seine Begeisterung für die Segelei zu dämpfen, hatte das Ereignis Willy noch bestärkt. Er schwor, wenn er einmal Geld verdiene, würde er sich davon zuerst ein Schiff kaufen und erst später ein Auto. Mit siebenundsechzig hatte er immer noch kein Schiff, konnte sich aber an die vielen Autos seines Lebens kaum noch erinnern, es ging ihm wie mit den verflossenen Angebeteten. Ein eigenes Boot hingegen hatte bis vor Kurzem nicht existiert.

Aber jetzt war es da, lächelte zurück und ließ sich mühelos auf dem Slipwagen aus der Hütte bewegen. Als es schwamm, zog er seinen Bug behutsam und zärtlich zurück auf den Uferkies im Schilf und holte aus der Hütte, was er zum Auftakeln brauchte: Mast, Segel mit Baum und Rahe, Schwert, Ruder, Riemen, Schwimmweste – Moment, wo waren die Schwimmwesten? Zur Ausbesserung droben im Haus. Dann eben ohne! Draußen auf dem See fuhren viele Segelboote, einige auch in der Nähe des Traumlebenzipfs. Ob die Leute wussten, dass es hier unter Wasser Felsbänke gab?

Warum segelte er nicht jeden Tag, an dem es irgend möglich war? Das als Zeitverlust zu betrachten war abwegig gewesen. Das Boot machte ihn doch wieder jung, Nichtsegeln war nur Faulheit. Oder, ja, auch Feigheit.

Denn da war irgendetwas, was ihn zurückgehalten hatte, ein nicht deutbarer innerer Alarm. Todesahnung? Die wohl weniger. Der Tod blühte gewiss irgendwann, das tat er immer und überall. Ihn fürchtete Weitling nicht, eher die Plagen davor. Und denen begegnete man in der Regel nicht auf einem Boot, sondern später, wenn es längst einen neuen Besitzer hatte.

Bis heute, bis Ende September, war er schon sechs Mal allein hinausgefahren. Er fühlte sich der Plätte, diesem schönen und heimtückischen Luder, einigermaßen gewachsen.

Weitling entschied sich dafür, die Hüttentür offen zu lassen. Mehr als eine Seilwinde und ein verschlossener alter Werkzeugkasten waren hier nicht zu stehlen – und es war nicht anzunehmen, dass Diebe sich damit abmühen würden, er war ja bald wieder zurück. Er schob sein Boot ins Wasser, stieg ein und stakte sich mit einem der Riemen aus der Uferflaute. Weit draußen rauschte von Seebruck her »der Dampfer« Richtung Chieming – das Passagierschiff. Das Segel füllte sich, er senkte das Schwert auf halbe Tiefe, ließ sich nieder, griff nach Ruder und Schot und ging auf Westkurs.

Zweites Kapitel

Gewitterfront

Einen bestimmten Kurs einzuhalten, das war zur Not auch möglich, indem man eine Landmarke über den Heckwimpel anpeilte. Ruderer, die ohnehin mit dem Rücken zur Fahrtrichtung saßen, taten dasselbe, sie mussten nur ab und zu nachjustieren. Heute wurde Weitling mit dem Zurückschauen nicht fertig, er genoss den Wandel von der Nahaufnahme zur Totale: Eben noch fast nichts als Schilf, jetzt ragten schon die Fichten am hohen Ufer, vom Haus her spiegelte das Fenster seines Arbeitszimmers unterhalb der Dachterrasse die Sonne, links tauchten das Gasthaus an der Schilfbucht und rechts das Landhaus des Baumburger Bierbrauers auf. Weiter nach Süden: das Huberhölzl, dann das vormalige Strandkurhaus, inzwischen war es eine Klinik, weiter rechts der Wegmacherzipf mit seinen Bootshütten, die lange Pfarrhofsmauer nebst Schnupftabaksmühle, der Dampfersteg mit Hafenmole und Wasserwachtstation, dann das frühere Strandcafé unter den alten Kastanien, inzwischen ein italienisches Restaurant, und weiter das Strandbad mit seinen Rasenflächen.

Von 1942 bis 1961 hatte er hier ohne Unterbrechung gelebt – nein, als noch nicht Vierjähriger war er einmal für drei Monate nach Schlederloh im Isartal geschickt worden, in ein Kinderheim, weil Mutter Weitling am Ende ihrer zweiten Schwangerschaft arg entkräftet war und schwer krank wurde. Er hatte das nicht verstanden und in

Schlederloh viel geweint. Er hörte erst damit auf, als er das großelterliche Haus und die Mutter wiedersah, aber es dauerte lange, bis er ihr wieder vertraute. Der Bruder, dessentwegen er weggebracht worden war, war bald nach der Geburt gestorben. Die Welt ist unbegreiflich, wenn man noch klein ist, und das Verhalten der Erwachsenen voller Rätsel. Wichtig ist nur, dass sie es gut meinen, einen beschützen und nicht zu fremden Leuten geben.

Der Wind war stetig, das Boot hielt die Richtung, Weitling konnte die Schot belegen und das Ruder mit zwei Fingern führen. Vom Dorf war jetzt fast alles zu sehen, was direkt am Ufer stand, bis hin zum Segelhafen am Gründeltal. Noch waren einzelne Spaziergänger auszumachen, sogar ob sie mit Hund unterwegs waren oder ohne. Allmählich wuchs das Dorf herauf, die vertraute Dächerversammlung, darüber die neuromanische Kirche, die Dannervilla mit dem Aussichtsturm, das Café Berghof, rechts davon die Waldhänge des Gründeltals. Den Osthorizont bildeten jetzt die Berge Staufen und Zwiesel im Salzburgischen, als Nachzügler, denn die Gipfel im Süden und Westen hatten von Anfang an das Bild beherrscht.

Die Chieminger Bucht war weit geschwungen. Die Uferstrecke vom Traumlebenzipf bis zum Gründeltal, das war ein Weg von zwanzig Minuten, er war ihn als Sechzehnjähriger oft entlanggestapft, am liebsten bei Wind und Regen, voller ehrgeiziger Ideen von Selbstentfaltung und großer Zukunft, von öffentlichem Lob und bewundernden Mädchen. Sein Innenleben war zu der Zeit so, dass er sich mit jedem dramatisch schlechten Wetter verwandt fühlte; mit mächtigen Stürmen verbündete er sich und meinte so selbst mächtig zu sein.

Gründeltal, seltsamer Name für einen Waldhügel direkt am Ufer. Oder nicht direkt, denn zwischen Steilhang und Uferkies lag noch die Asphaltstraße Richtung Grabenstätt und zur Autobahn. Von der Stelle, wo jetzt der Segelhafen war, bis zum heutigen Campingplatz hatte es im Krieg langgezogene, niedrige Betonmauern gegeben und auf ihnen die wohlgetarnten Kanonen der Flugabwehr (Flak). Sie sollten alliierte Bomber abschießen, die zu Hitlers Alpenfestung in Berchtesgaden unterwegs waren. Wegen der Geheimhaltung durfte auf keiner der damaligen Chieminger Ansichtskarten das Gründeltalufer zu sehen sein, auch nicht die sechs langen Baracken, in denen die Flakmannschaften wohnten, unterhalb des Venusberges, dessen Name erotisch inspiriert schien. Die Baracken hatten noch lange gestanden. Am Kriegsende flüchteten die Kanoniere, statt ihrer zogen Flüchtlinge aus dem Osten ein, viele mit tschechisch oder polnisch klingenden Namen. In einem der Flachbauten wurden lutherische Gottesdienste gehalten, und aus der Kommandantur wurde Chiemings erstes Kino, betrieben von einem freundlichen Mann, der nur ein Bein hatte, Herrn Lorenz. Oder doch zwei Beine, aber nur einen Arm?

In einer anderen Baracke hatte Willy von einem Schulfreund, der aus Lodz stammte, Tischtennis spielen gelernt. Der Raum war aber so eng, dass man nur Rückhand spielen konnte, mit jeder beherzten Vorhand holte man ein Bündel Zwiebeln von der Wand.

Einige der damaligen Flüchtlingskinder gab es, alt geworden, immer noch im Dorf. Sie waren umsichtig, fleißig, meist kinder- und enkelreich und sprachen nicht mehr Böhmisch, sondern ein breites Bairisch, als hätten ihre Vorfahren schon unter Herzog Tassilo Chiemgauer Wiesen gemäht.

Jetzt tauchte im Norden hinter der Landzunge die Seebrucker Kirche auf. Weitling rechnete die bisherige Geschwindigkeit aus und schätzte, dass er in höchstens dreißig Minuten an der Fraueninsel sein würde. Die Chieminger Bucht lag nun weit ausgebreitet, einzelne Bäume flammten in Rot oder Gelb. Das Bild würde sich nicht mehr verändern, nur entfernter und dunstiger sein. Er drehte sich um und sah nach vorn. Das war auch angebracht – bei achterlichem Wind sollte man das Segel im Auge behalten. Die Plätte liebte den Kurs, das Schwert brummte behaglich. Er zog es trotzdem hoch – vor dem Wind war er ohne Schwert eine Spur schneller. Das Wasser rauschte und flüsterte an der Bordwand entlang, Weitling lehnte sich zurück, hörte zu und war zufrieden. Der Chiemsee, dachte er, ist in meinem Leben immer das Eigentliche gewesen, und er ist es geblieben.

Dumm nur, dass jetzt die Rücken- und Schulterschmerzen stärker wurden. Er hätte vor dem Segeln eine Schmerzpille nehmen sollen. Er streckte den Arm nach hinten und rollte die Schulter. Ja, das tat am wehesten. »Wenn Sie den Schmerz spüren, gehen Sie weiter in ihn hinein, als ob Sie durch ihn hindurch wollten«, hatte der Orthopäde gesagt. Ein sehr philosophisches Rezept: Steigere den Schmerz für eine Weile, dann empfindest du es als Segen, wenn er wieder auf Normalmaß zurückgeht.

Er hörte sein Mobiltelefon klingeln. Im Rucksack. Ächzend hangelte er sich hoch, tappte am Mast vorbei, zog das Telefon aus der Seitentasche und eilte wieder nach hinten. Das Boot hatte durch die Gewichtsverlagerung bereits anzuluven begonnen. Das Klingeln brach ab, aber er hatte Astrids Nummer gesehen und rief sie zurück.

»Ich bin gerade auf dem See.«

»Echt?«

»Mit achterlichem Wind, wir können gut reden – wer mir in die Quere kommt, muss ausweichen.«

»Aber die anderen wissen doch nicht, dass du Jurist bist.«

»Aber sie müssen die Regel kennen: Auf bayerischen

Seen hat der vor dem Wind Fahrende Vorfahrt vor allen anderen Booten.«*

»Ich liebe dich.«

»Wieso jetzt?«

»Weil du so umsichtig bist und an alles denkst.«

Er lachte. Nein, es war kein Spott herauszuhören, nicht einmal ein liebevoller. Sie liebte ihn tatsächlich so, wie er war. Er hatte dreißig Jahre gebraucht, um das zu begreifen, denn seit mindestens sechzig Jahren liebte er sich selbst keineswegs so, wie er war. Präzise gesagt seit der Einschulung. Er hatte zeitlebens darunter gelitten, dass er nicht besser war, nicht im Rechnen, nicht im Schreiben, Ballspielen, Tanzen, nicht in Fremdsprachen und nicht in der Liebe.

»Ich wollte dir die Post durchgeben. Das meiste ist wohl Langweilerpost.«

»Vielleicht nicht alles.«

Minimale Erhöhung der Ruhestandsbezüge. Dann die Bank, vermutlich waren es Kontoauszüge, die er sich zu lange nicht selbst vom Automaten hatte ausdrucken lassen. Prospekt von »Deine Geschenkidee« (sofort Papierkorb). Die SPD wollte den Mitgliedsbeitrag künftig vom Konto abbuchen.

»Abbuchen? Niemals! Dann bin ich das ewige Mitglied.«

»Bist du doch schon, Mitglied seit der Stunde Willy!«

»Ha ha. Und das war die ganze Post?«

»Nein, da ist noch was Handgeschriebenes, eine Frau wohl. Kerstin Wieduwillst oder so ähnlich.«

»Aber nein, Windmiller. Die Gerichtspräsidentin! Bring's bitte mit.«

»Und dann noch eine Büchersendung, ein Antiquariat.«

---

* Segler Achtung: Weitling irrt!

»Hat das Buch den Titel *Zuversicht*?«

Hatte es. Einer von den Soziologen, die jetzt ständig von Gott redeten, ohne ihn beim Namen zu nennen. »Wenn Ihnen die Zuversicht ausgeht, vertrauen Sie auf den Erfindungsreichtum des Lebens, er übersteigt Ihren eigenen bei Weitem.« Statt zum Beispiel zu schreiben: »Beten hilft, Gott hat manchmal ganz gute Einfälle.« So stand es bei Weitling – halt, den Satz hatte er ja gestrichen. »Muss wieder rein«, murmelte er.

»Was hast du gesagt?«

»Ach nichts. War wegen des Schwerts. Das Buch kannst du liegen lassen.«

»Und der Rücken, tut er weh beim Segeln?«

»Rücken, tust du weh? Nein, sagt er, und die Hüfte ist auch friedlich.«

»Den Stock kriegst du trotzdem!«

Er hatte sich zum siebzigsten Geburtstag einen Spazierstock mit Silbergriff gewünscht – gebogen, damit man ihn im Laden beim Bezahlen an den Unterarm hängen konnte.

»Na, das ist ja noch fast zwei Jahre hin. Aber gut, bis dahin brauche ich ihn vielleicht.«

»So, das war alles! Ich habe schon gepackt, ich freue mich auf dich.«

»Ich mich auch.«

»Sei bloß vorsichtig. Es kommt doch kein Gewitter?«

»Nein, nichts als Lämmerwölkchen. Hast du was verkauft?«

»Nein. Aber ich hatte eine Kundin, total süß, Zahnärztin.«

»Und die hat nichts gekauft?«

»Nein, aber sie hat einen behinderten Sohn und hat mir viel dazu erzählt – also das war wirklich interessant. Ich lerne so viel im Laden. Manchmal denke ich, wenn ich dreißig Jahre jünger wäre und das wüsste, was ich heute weiß, ich wär ne tolle Braut!«

»Und würdest mich nicht nehmen!«

»Stimmt ja gar nicht.«

»Bitte stell dir heute Abend den Wecker, damit du den Zug kriegst. Ruf an, wenn die Ankunftszeit in Traunstein klar ist. Oder, wenn es ein Regionalzug ist, in Übersee.«

»Halt, hier ist noch ein Brief. Deine Bootsflüchtlinge.«

»Bitte mitbringen!«

»Sag mal, ist das Rauschen bei dir oder bei mir?«

»Bei mir. Die Bugwelle. Ciao, bis morgen.«

»Bis morgen.«

Bevor er das Telefon wieder verstaute, tippte er sich einmal durchs Adressverzeichnis. Ein kleiner Hunger nach Geselligkeit, er wollte der Welt mitteilen, dass er segelte. Ein wenig Neid genießen. Aber keiner der Namen lockte ihn wirklich, bei den meisten konnte er nicht Interesse, sondern nur langweilende Mitteilsamkeit erwarten. Er achtete lieber wieder auf Richtung und Wetter.

Lämmerwölkchen? Ja, hoch über ihm waren noch welche. Aber verschwiegen hatte er Astrid die ziemlich kompakten, niedrigen, schwarzen Bänke, die im Westen über den Horizont lugten. Da waren keine Lämmer zu sehen, sondern Büffel und Elefanten. Eine Front. Aber sie würde erst tief in der Nacht da sein, gegen zweiundzwanzig Uhr etwa, auch wenn jetzt schon überall die Sturmwarnung blinkte. Sie warnte wie immer zu früh. Er würde auf seiner Terrasse stehen und mit einem steifen Grog den ersten Windstößen zuprosten, bevor er sich ins Bett trollte.

»Die Bootsflüchtlinge«. So nannte Astrid den Verein, dem Weitling beigetreten war, eigentlich hieß er »Helft Afrika e. V.«. Die Mitgliedschaft kostete wenig Geld, aber viel Zeit, seit er in den Vorstand gewählt war. Schröder-Unducht, einer seiner Amtskollegen, hatte das höhnisch kommentiert: Solche Vereine seien doch Alibiveranstaltungen. Aber was war nicht Alibi? Die Aufmerksamen waren das Alibi der Gleichgültigen, die Aktiven das der Faulen, die Hilfsvereine von Gutmenschen eine Gewissensentlastung für Schlechtmenschen. Weitling kannte und hasste das Alibiargument seit den Tagen der Studentenbewegung. Und »Gutmensch«, das war einer jener perfiden Begriffe, die Satan, der Herr der Welt, in die Diskussion geworfen hatte, um alle zu diskreditieren, die nicht in steinerner Mitleidlosigkeit verharren wollten.

Astrid bestärkte ihn in Sachen Afrika. Sie sprach immer noch von »Bootsflüchtlingen«, obwohl die Afrikaner es jetzt vorwiegend über Griechenland versuchten. Sie wusste selbstverständlich, dass er diesen gemeinnützigen Verein brauchte, um sich nicht ganz als tatenloser Schuft zu fühlen. Er versuchte auszugleichen, dass er als Person so vieles nicht zu bieten hatte: Helfen, Schenken, Retten. Nicht einmal beim Verzeihen war er überzeugend.

Astrid hingegen beherrschte das alles, und dazu lachte sie so herzlich wie sonst niemand. An ihren Augen war die Fähigkeit zum Helfen und zum Lachen sofort erkennbar, nicht weil sie besonders schön waren oder milde und freundlich blickten. Nein, bei Astrid war deutlich, dass ihre Augen viel sahen, und dass Wahrnehmung und Tun untrennbar verknüpft waren. Astrid sah alles und machte keinen Hehl daraus. Sie sah, wie ein Zaubertrick funktionierte. Sie merkte minutenlang vorher, was ein Taschendieb plante, und schon ein Zehntelsekundenblick sagte ihr, wenn jemand Hilfe brauchte. Wie oft hatte Weitling das Auto angehalten und gewendet, weil Astrid etwas gesagt hatte wie: »Da sitzt eine Frau, mit der ist irgendwas!« Wie oft hatte sie die Polizei angerufen, weil sie aus Details schloss, dass sich etwas anbahnte, Einbruch, Misshandlung, Überfall. Sehr oft hatte sie ins Schwarze getroffen.

Sie besaß ein fotografisches Gedächtnis, wusste, was sie gesehen hatte, und konnte auch nach längerer Zeit darauf zugreifen wie auf ein digitales Bildarchiv.

Es gab in Astrids Leben keine Pedanterie, kein System, kein Fackeln, bevor sie handelte, vor allem kein bisschen Ordnung. Wozu auch, sie wusste noch nach Monaten, wo sie etwas hingelegt hatte, es war gespeichert. Und nie war sie in Verlegenheit, wenn ein Geschenk mitzubringen war: Sie hatte beim letzten Besuch fotografiert, was im Haushalt des Gastgebers vorhanden war. So war es ein Leichtes, die Räume noch einmal in Gedanken zu durchwandern und festzustellen, was dort fehlte.

Weitling schreckte auf: Da rauschte etwas steuerbords voraus, hinterm Segel. Mühsam bückte er sich, um unterm Großbaum durchzusehen: Wieder mal jemand, der die bayerische Vorfahrtsregel nicht kannte. Schickes Mahagoniboot, mit halbem Wind auf Südkurs. Der Kerl glaubte, er könne die Plätte zum Anluven oder zum Halsen zwingen. Weitling luvte an, um die Wanderjolle nicht auf die Hörner zu nehmen, und rief hinüber: »Haben Sie mich nicht gesehen?« Der Mann antwortete, ein Wort hörte sich an wie »Tiefschlaf«, ein anderes klang sogar wie »Idiot«, und alles per Du. Weitling ignorierte den Mahagoniprotz, schaute nach vorn und ging wieder vor den Wind. Zur Fraueninsel waren es noch rund vier Kilometer, zwanzig Minuten höchstens. Er dachte an Astrid, das half bei Ärger sofort.

Im Grunde konnte er alle Überlegungen, wie und wohin die Menschen, jeder Einzelne, sich bessern sollten, in einem Satz zusammenfassen: Werdet wie Astrid. Damit war leider klar, dass die Besserung ausbleiben würde, denn wer konnte sein wie sie? Er hätte auch sagen können: Legt euch ein Herz zu und koppelt es mit einem fotografischen Gedächtnis. Er selbst war von alledem weit entfernt, wusste auch, dass er zu alt war, um sich noch sehr zu ändern. Aber er hatte immerhin begriffen, dass es Menschen wie Astrid überhaupt gab, das war viel. Mit ihr hatte er eine Welt kennengelernt, die er allein nie wahrgenommen hätte.

Mit einem Richter verheiratet zu sein ist sowieso nicht leicht, dachte er, aber sie ist stark und neigt nicht zur Sentimentalität. Während seiner großen Depression, die ihn monatelang unfähig gemacht hatte, einen Gerichtssaal zu betreten, hatte er eines Tages geklagt: »Wäre ich nie geboren worden, kein Mensch würde mich vermissen!« Sie war in schallendes Gelächter ausgebrochen, und das hatte ihm mehr geholfen als jede mitfühlende Betulichkeit. Entwaffnend auch ihre wunderbaren Verwechslungen und Versprecher: »Vielleicht solltest du etwas mehr Leben in deine Ordnung bringen!« Ja, Leben in die Ordnung, nicht umgekehrt. Sie wusste selbst nicht, dass sie das gesagt hatte. Staunen, Lachen, Nachdenken. Neben Astrid war es nicht leicht, depressiv zu bleiben.

Schade, sie hatten keine Kinder. Gern hätte er Astrids Eigenschaften in einem Kind wiederkehren und wachsen sehen. Eigene Eigenschaften auch, aber die mit etwas Vorsicht.

Wenn er daran dachte, fiel ihm der Himmelfahrtstag des Jahres 1980 ein, der sogenannte Vatertag. Er hatte mittags in einer völlig leeren Kneipe gesessen und erstaunt die Wirtin gefragt: »Niemand hier? Wohl alle auf Vatertagstour?« »Ja, alle.« »Ich muss da nicht mit«, fuhr er fort, »ich bin kein Vater.« »Moment«, sagte sie, »der Tag ist ja noch lang.«

Möglich, dass aus ihm ein großartiger Vater geworden wäre. Versäumt! Im Grunde handelte sein ganzes Manuskript von dem, woran er es hatte fehlen lassen. Es war sein »Richtig-Richtig-Buch« für andere, und anderen mochte es vielleicht sogar helfen.

Er fragte sich, ob er jetzt, mit achtundsechzig, wirklich

wusste, was er in jüngeren Jahren hätte anders machen müssen. Astrids Satz fiel ihm ein: »Wenn ich dreißig Jahre jünger wäre und das wüsste, was ich heute weiß ...« Was würde er dann alles vermeiden, was gezielt lernen, wie viele schlechte Angewohnheiten gar nicht erst aufkommen lassen, wie vielen Menschen aus dem Wege gehen? Mit dem Rauchen würde er nicht anfangen, klar, und von den fünftausend Mark Übergangshilfe, die er als Reserveleutnant der Bundeswehr kassierte, sofort Aktien kaufen, und zwar die richtigen.

Seine Träumerei wurde von einer unvermeidlichen Erkenntnis beendet. Nichts würde er ändern können! Jede Kleinigkeit konnte seinem späteren Leben einen anderen Verlauf geben. Die Wege des Herrn waren unerforschlich, zumindest folgten sie der Chaostheorie. Daher würde schon der Verzicht des Jugendlichen aufs Rauchen zu ernstesten Folgen führen. Das Lernen, die Aktien – ziemlich sicher wäre er relativ früh ein reicher Mann und würde Astrid nicht kennenlernen, sondern bereits in den Sechzigerjahren mit einem Sportwagen an einem Alleebaum enden. Nein, es empfahl sich nicht, bei Zeitreisen in die Vergangenheit in den Lauf der Dinge einzugreifen.

Die Idee einer Visite in der eigenen Jugend beschäftigte ihn weiter. Dann würde er das Falsche seines Lebens in der Phase betrachten können, in der es noch klein war. Er würde das Rechtsempfinden wachsen sehen, aber auch alles beobachten können, was dem entgegenarbeitete.

Ja, noch einmal diesen merkwürdigen Jungen begleiten, der er gewesen war, nur um der Erkenntnis willen und auf begrenzte Zeit, vielleicht gerade mal einen Tag. Danach würde er sich sein Buch »spes« noch einmal vornehmen, manches streichen, einiges zuspitzen und alle Gefahren besser erklären können, denn er hätte sie dann frisch vor Augen.

Was war denn mit der Sonne? Es war plötzlich sehr dunkel. Tief in Gedanken, hatte er lange Zeit nicht auf den Kurs und das Westufer geachtet. Der nordwestliche Himmel war hinter dem Segel verborgen geblieben. Er holte es dicht und wollte es auf der Backbordseite wieder fieren, aber es blieb lustlos mittschiffs: Die Flaute war da. Jetzt sah er auch die ganze Bescherung.

Die exotischen Gestalten von vorhin waren in kürzester Zeit zu einer riesigen Wand zusammengewachsen, schwarz und hoch mit grauen Zungen, und überall vom Ufer her blinkten rote Lichter hektisch Alarm, neunzig Signale pro Minute, da brauchte er nicht nachzuzählen. Er war jetzt verpflichtet, sofort ans nächste Ufer zu fahren und sich in Sicherheit zu bringen, was ohne Wind schwierig war. Gut, dass eine Plätte gerudert werden konnte. Er zog die Riemen aus dem vorderen Teil des Boots und steckte die Dollen in die Bordwand. Das Segel? Er würde es im Sturm noch brauchen, aber gerefft. Er reduzierte also die Segelfläche auf ein Minimum, was ihm wegen der totalen Flaute glückte. Dann begann er, Richtung Festland zu rudern, was unter dem mittschiffs hängenden Segel beschwerlich war.

Die Insel hatte er verfehlt: Das Dorf Gstadt war jetzt fast ebenso weit entfernt, und dort würde er schneller unter Land kommen. Heute hatte er sich überhaupt gründlich verschätzt, der Sturm würde in zehn Minuten losbrechen, vielleicht früher. Aber wer rechnete auch mit einer derartigen Tiefdruckfront mitten im Altweibersommer, es war gegen die Regel!

Er unterbrach das Rudern, um die Wasserwacht anzurufen. Dann verstaute er das Mobiltelefon im Rucksack und band diesen fest, ebenso wie alles andere, was er gern noch behalten wollte. Er wusste, wie ein ausgewachsener Chiemseesturm mit Booten umsprang, Plätten zumal. Wieder zu viel Zeit verloren, er hätte lieber rudern sollen: Die

Gewitterwand reichte schon bis hoch über ihn und war schwarz wie die Nacht.

Jetzt packte ihn nackte Angst. Er ruderte so heftig er konnte, vergaß die Schultern und den Rücken. Das Schiff geriet ständig in Drehungen, er musste laufend korrigieren. Sollte er das Segel ganz entfernen? Das Schwert ließ er hinunter, das half beim Kurshalten und bedeutete etwas Schutz gegen Kentern, wenn das Unwetter angriff. Ach was, so schlimm konnte es nicht werden, sonst hätte doch der Wetterbericht – Moment, den hatte er heute verpasst. Wie auch immer, er ließ das Segel, wie es war, und ruderte um sein Leben. Mittendrin traf ihn die Erkenntnis: Es war die gleiche Situation wie damals, die gleichen Fehler, die gleichen Zeitverluste.

Weitling konnte den Gedanken nicht in Ruhe fortsetzen, zu stark waren die Schmerzen, zu groß die Gefahr, er ruderte mit letzter Kraft, sah sich nur kurz um: Es war absehbar, dass er das Ufer nicht mehr erreichen würde, er hörte die Bäume auf dem Hügelkamm über Gstadt aufrauschen und sah, wie sie sich bogen.

Die ersten Böen! Er warf die Riemen ins Schiff und versuchte segelnd noch das Land zu erreichen. Binnen dreißig Sekunden wuchsen die Wellen auf über Bordhöhe und trugen Schaumkronen. Eine hebelte das Holzruder aus der Halterung, Weitling erwischte es noch und hängte es mühsam wieder ein, das kostete wichtige Sekunden. Trotz des Lärms hörte er das Dröhnen eines Dieselmotors: Die Wasserwacht hatte ihn ausgemacht, der Rettungskreuzer strebte mit rotem Blinklicht von Gstadt aus heran. Er stampfte und schlingerte, hielt aber zweifelsfrei auf ihn zu, erhellt von zahllosen Blitzen, denen der Donner augenblicklich folgte.

Weitling kroch ächzend in den vorderen Teil des Schiffs, er wollte an die Vorleine kommen, gab das aber schnell auf, um nicht von Bord gewaschen zu werden. Plötzlich ein strahlend blaues Leuchten ringsum, dann ein schmerzhaft grelles Licht und ein grausamer Knall, der ihn so erschreckte, dass er umfiel: Es musste eingeschlagen haben, ins Boot oder direkt daneben. Er war so gut wie blind, konnte sekundenlang nicht einmal den Mast erkennen. Doch, der stand noch. Der Seenotkreuzer war schon fast da. Oder? Im Moment hörte er ihn nicht, und – er sah ihn auch nicht! Sehr merkwürdig.

Konnte sich ein hoch gebautes Motorboot derart lang in einem Wellental verbergen? Nein. Also war es weg, untergegangen, was sonst. Es musste getroffen worden sein und war mit Mann und Maus untergegangen! Weitling war in Panik, und trotzdem fiel ihm in dem Moment ein: Die Kreiszeitung würde endlich einmal eine außergewöhnliche Meldung zu bieten haben. Er sah das Titelbild vor sich, ein Foto des Seenotkreuzers aus besseren Tagen. Die Schlagzeile, fett: »Vom See verschluckt. Retter ohne Chance«. Auch sein Leichtsinn, der an dem Unglück mit schuld war, würde erwähnt werden.

Er rappelte sich wieder hoch. Aber daran war etwas Merkwürdiges: Es war ein Gefühl, als ob er neben sich stünde und sich beim Hochrappeln zusähe – ohne sich selbst auch nur irgendwie zu bewegen. Eine Gehirntäuschung, wahrscheinlich Folge des Einschlags. Die Trommelfelle waren in Ordnung, er hörte das Tosen und Heulen des Sturms ungefiltert. Die Gefahr war jetzt, dass das Boot umschlug, und das tat es mit Sicherheit, wenn es quertrieb und zu viel Wasser aufnahm. Jede Riesenwelle schenkte ihm ordentlich ein, aber er konnte nicht gleichzeitig segeln und ösen, außerdem kam er an den Eimer jetzt schlecht heran.

Gegen den Nordweststurm das Ufer zu erreichen oder auch nur die Fraueninsel war nicht mehr möglich, das

Schiff stampfte nur schrecklich und wurde von den Wellen mehr zurückgetrieben als vom Wind vorwärtsbewegt. Blieb nur der Weg nach Osten, zurück nach Stöttham, mit weit gefiertem Segel, das Boot war so noch zu steuern. Die Seen schienen jetzt haushoch, jede Sekunde konnte eine ihn umkippen.

Er wunderte sich nur über die eigene Kraft und Geschicklichkeit. Das Gefühl, dass da gar nicht er, sondern ein anderer kämpfte, blieb unverändert, er war gleichzeitig ein Er und ein Ich. Vielleicht fühlte es sich so an, wenn Gott selbst handgreiflich wurde und einen Menschen rettete, mit dem er noch Pläne hatte. Man durfte dann quasi zusehen, wie man dem Tod entrissen wurde. Und irgendeinen Schalter hatte der Allmächtige gleich mit umgelegt, denn bitte: Wo waren jetzt die Bandscheibenschmerzen, die Arthrose in Knien, Hüftgelenk und Schultern, wo blieben Gicht, Rheuma, Kurzatmigkeit, Muskelkrämpfe?

Da gab es doch so ein Zitat: »Wo aber Gefahr ist, wächst das Rettende auch.« Galt vermutlich nicht für Muskeln. War der Satz von Schiller? Sein Vater hätte es gewusst. Weitling verlor die Idee wieder, die Wassermassen spülten sie fort.

Unglaublich, wie schnell er vorwärtskam, er war schon fast wieder in der Chieminger Bucht. Aber patsch, da riss das Fall, und das Segel hing über die Bordwand, das Boot trieb wehrlos und nahm noch mehr Wasser auf. Weitling hechtete nach vorn, um wenigstens das Segel loszuwerden, mühte sich mit dem Großbaum, schaffte es aber nicht, ihn vom Mast zu lösen. Also hob er den Mast aus der Verankerung und warf ihn samt Besegelung außenbords, eine große Anstrengung. Dann griff er zum Eimer und schöpfte und öste wie ein Irrer, aber es half so gut wie gar nicht. Ein kleiner Eimer nützt wenig, wenn das Wasser fassweise hereinbricht. Und es war seltsamerweise gar kein Eimer –

Weitling erkannte, dass er einen Holzschöpfer in der Hand hielt, wie man ihn früher gehabt hatte. Der musste aufgetaucht sein, während der Eimer sich verabschiedete. Wieso aber tat er das so unbemerkt, er hatte ihn doch gar nicht losgelassen? Mit meinem Kopf stimmt etwas nicht, dachte Weitling, es war der Blitz.

Inzwischen hatte die Plätte genug Wasser geschluckt, eine nicht einmal sehr hohe Welle ließ sie umsinken. Sie kenterte durch und zeigte dem Sturm ihre Unterseite. Weitling versuchte sich auf der Leeseite festzuhalten, musste aber achtgeben, dass ihm der schlingernde Rumpf nicht die Knochen brach. Alles war wie damals. Es fehlte noch, dass er sich jetzt die Hand an einer herausstehenden Schraubenspitze verletzte!

Er befestigte die Vorleine unter Wasser an der Sitzbank, arbeitete sich hinüber auf die Luvseite und versuchte von dort den Kahn aufzurichten. Und fasste dabei nicht in jene Schraube. Nein, denn er sah sie deutlich herausstehen. Immer noch hoffte er, das alles wäre ein Traum und er würde in seinem Bett aufwachen.

Das Boot trieb nun zwar mit dem Boden nach unten, aber bei dem Versuch, über den Bug hineinzukommen und wieder mit dem Schöpfen anzufangen, drehte es sich erneut – alles vergebens! Weitling wollte sich nun am Bug festhalten, so lange er konnte. Er wusste, was ihm bevorstand: stundenlanges Treiben und Wasserschlucken, bis das Ostufer ihn rettete oder eben nicht mehr. Irgendwann würde er sein Schiff aus Entkräftung loslassen und nach kurzem letztem Kampf elend ertrinken. Oder vielleicht nicht er, sondern der Junge. Er war offensichtlich in einem Ich-Zustand, der sich von dem des Jungen unterschied.

Er dachte: Wir werden sterben, er und ich. Oder nur er. Oder nur ich, das ist sogar wahrscheinlicher. Dieser Bursche, dieses zähe Luder bleibt allein übrig und erfüllt, was

Gott von ihm hofft. Spes divina. Ich kann von Glück sagen, wenn ich als Gespenst noch ein Weilchen zusehen darf. Und wenn ich je in die Lage käme, dieses Erlebnis aufzuschreiben, müsste ich meine Gedanken per »ich« und seine Taten per »er« beschreiben.

Was hat das Wasser nur für eine Kraft, dachte er. Die Luft besteht aus Gischt, ich sehe kein Ufer, nicht im Westen, nicht im Osten, Berge schon gar nicht. Ohnehin gibt es beim Ertrinken nur geringfügige Unterschiede zwischen dem Chiemsee und dem Atlantik.

Drittes Kapitel

Neue Lage

Als der Sturm mein Schiff ans Ostufer treibt, um es im Kies zu zermahlen, rennen fünf oder sechs Männer ins flache Wasser, zum Teil in voller Kleidung. Zwei werden umgeworfen, sind schnell wieder auf den Beinen. Aufgeregte Zurufe hin und her, sie klingen im peitschenden Regen und im Getöse der Brecher wie ein Piepsen, zu verstehen ist nur, dass es sich um Bairisch handelt. Man versucht die Plätte gemeinsam aufzurichten, damit sie heil an Land gezogen werden kann. Man hält ihr Heck gegen den Sturm, damit sie den Bug zum Ufer dreht, aber sie ist schwer wie ein übergroßer, voller Brunnentrog, immer wieder reißen die Brecher sie den Helfern aus den Händen. Um mich kümmern sich zwei weitere, heben und stützen mich, sie müssen mich fast tragen, um mich aus der Wellenmühle zu retten. So ist das Dorf – wenn man sie braucht, sind sie da.

Ich habe keine Kraft mehr, nehme aber alles wahr, erkenne die meisten Leute, allen voran den Wegmacher-Franz mit dem krummen Bein, der seinem Schiff entgegensieht und sicher die Schäden taxiert, jedenfalls schaut er mich nicht an. Den Hausarzt mit seiner Maultasche sehe ich, er hat mich lange kommen sehen und rechnet mit dem Schlimmsten wie immer. Einen der beiden Männer, die mich an Land schleppen, erkenne ich erst jetzt an den patschnassen Cordhosen: Ich schaue ihm ins Gesicht, es ist mein Vater. »So, alles vorbei, Gott sei Dank!«, ruft er mir ins Ohr. Dass mein Vater Gott dankt, ist außergewöhnlich, aber ich weiß nicht nur vom Hören heute, sondern auch aus der Erinnerung, dass er das an jenem Tag wirklich getan hat – und also tut: Es passiert genau dasselbe wie damals! »Wenn es Gott gäbe«, versäumte er nie zu sagen, sobald er dessen Namen aussprach – sein Skeptikerstolz hatte das nötig. Diesmal vergaß er es, vergisst es.

Wenn es Gott gäbe, hätte er bei dieser Rettung die Hand im Spiel gehabt. Er hat. Schon meine Verwandlung ist auf keine andere Weise zu erklären.

Wer denkt da eigentlich, der Junge oder ich? Ich! Ich bin ganz eindeutig nicht er, sondern nach wie vor der alte Mann aus Berlin, aber für andere unsichtbar, Geist ohne Physis, gekettet an einen Sechzehnjährigen aus Stöttham bei Chieming, und wir schreiben offenbar 1958. Ich kann bisher keine anderen Wege gehen als er, sogar woanders hinschauen kann ich nur mit Mühe, und ich erlebe dieselbe Situation. Seine Gefühle und Gedanken kann ich erraten, auch ein klein wenig mitspüren, habe aber in der Hauptsache meine Gefühle, die des Achtundsechzigjährigen. Handeln kann ich nicht, nur wahrnehmen und in meinem eigenen Ich herumgrübeln, dem des Richters a. D. – wie lange aber soll das gehen? Wahrscheinlich darf ich mir meine Jugend nur noch ein paar Stunden ansehen, um mich dann ganz aufzulösen – adieu, Dr. Weitling! So sieht also eine Rückversetzung in die Jugend wirklich aus. Meine Tagträume und eine Reihe von Filmen ließen mich etwas mehr Handlungsfreiheit erwarten.

Willy wird in die Hütte des Wegmacher-Franz geschoben und entkleidet, Frottiertücher wirbeln, der Arzt prüft den Puls, der Wegmacher-Franz sieht mich, nein, den Jungen grimmig an und schüttelt den Kopf, aber Willy lacht, ihm kann zurzeit nichts Angst machen, mir auch nicht, wir sind fürs Erste gerettet. Es liegt auch an dieser Hütte, die mit Blech beschlagen und dazu noch geteert ist. Sie sieht schon von außen so aus, als sei man in ihr vor Orkanen, ja Tornados sicher, sogar vor bösem Zauber.

Meine Mutter ist auch da, sie reicht Willy Großvaters gestreiften Bademantel. Ich wundere mich fast, dass ich beim Anblick meiner Mutter nicht in Wiedersehensfreude gerate. Wäre ich nicht der Geist von Wilhelm Weitling, sondern ein Mensch mit einem schlagenden Herzen, ich wäre tief bewegt und würde in Tränen ausbrechen. Aber da ist gar nichts. Ich sehe Vater und Mutter im Augenblick kühl wie ein Forscher. Können Geister aus der Zukunft keine Liebe empfinden? Andererseits merke ich, dass ich mich über die bekannten Gesichter aus dem Dorf freue. Liegt es vielleicht daran, dass ich über meine Eltern jahrzehntelang nachgedacht habe, und oft sehr sachlich? Jedenfalls zeigt sich in meinem Herzen (habe ich ja nicht) keine Wärme, nicht einmal ein Anflug von Sentimentalität oder Zärtlichkeit. Jung ist sie, meine Mutter, siebenundzwanzig Jahre jünger als ihr Sohn, der alte Richter Weitling. Eine hübsche, helle Person, und sie gibt ständig Geistreiches von sich, sogar hier in der Bootshütte. Das und ihre etwas nervöse Art sind mir vertraut.

Und Vater? Auch an ihm erstaunt mich nichts, außer dass ich ihn nicht so sehnig und viril in Erinnerung habe, ein beeindruckendes Mannsbild von dreiundfünfzig. Vergessen habe ich auch, dass er buchstäblich eine Zigarette nach der anderen raucht. Aber Freude? Ich bin nach den Kämpfen, die wir seit meiner Adoleszenz gegeneinander geführt haben, einigermaßen froh, dass er jetzt nur den jungen Willy sieht, nicht den alten Richter, der ihn mit seinem geballten Zukunftswissen scharf ins Auge fasst.

Der Bademantel wärmt, Willys Zähneklappern wird

weniger. Die nassen Sachen kommen auf das ausgebreitete Frottiertuch vorn unter die Haube des VW, dann steigen wir vier ein, genauer drei Menschen und ein Richtergespenst, das wenig Platz beansprucht. Der Vater fährt am See entlang Richtung Süden und Pfarrhof, er muss kräftig gegenlenken, so wild bläst es noch immer, der Regen prasselt von der Seite. Mutter hat sich nach hinten gesetzt, der Junge sitzt neben Vater.

»Als du weg warst«, sagt die Mutter, »ist Großvater gestürzt, irgendwo im Dorf auf einem Kiesweg, keine große Wunde, hat aber stark geblutet. Zwei Unbekannte haben ihn uns gebracht. Er glaubt manchmal, er wohnt woanders. – Und jetzt auch noch du! Hast du die Wolkenwand nicht gesehen?«

»Die war dauernd hinter dem Segel«, antwortet Willy schwach.

»Du hast Glück gehabt. Wir haben dich ganz lange von der Terrasse aus gesehen, aber erst mal nicht geahnt, dass du es bist …«

»Und dann nur noch gehofft, dass du es nicht bist«, wirft Vater ein.

»Also: Die Wasserwacht konnte hier gegen den Sturm gar nicht raus, die haben ja selber nur eine Plätte, und der Fischer Dori auch, die wären sofort vollgeschlagen. Die großen Schiffe, Luitpold, Fessler, Maximilian, Schwalbe und so weiter, die hatten zwischen den Inseln schon genug aufzusammeln. Drei sollen ertrunken sein. Die finden wir ab morgen hier im Schilf, verdammter Leichtsinn!«

Vater zündet sich, während er über den großen Parkplatz landeinwärts fährt, eine Zigarette an. Er bläst den Rauch in die Frontscheibe und sagt: »Du hast dich aber ganz gut geschlagen da draußen.« Ich kann, weil Willy ihn ansieht, sein Profil studieren. Eine überraschend spitze Nase. Die Brille ist noch die mit schrägen schwarzen Bal ken oben, die ich »Augenbrauenverstärker« nannte und albern fand.

»Wo aber Gefahr ist, wächst das Rettende auch«, zitiert er.

»Von wem?«, fragt Willy (danke, mein Junge!).

»Hölderlin.«

Schade, dass ich den wunderbaren Duft der frisch angerauchten Virginia-Zigarette nicht riechen kann. Außer dem Sehen und Hören ist jede Empfindung stark eingeschränkt. Der Junge genießt den Rauch, ich weiß es, ihn und die vorsichtig lobenden Worte. Jetzt klackt links der Winker raus, Vater biegt aus der scharfen Kurve der Dorfstraße in den Weg nach Stöttham ein, wir passieren gleich die »Chieminger Lichtspiele« hinter der nächsten Kurve – Lorenz baute sie, als er in der Flakbaracke genügend verdient hatte. Es geht am »Café Marienbad« und dann am Anwesen Dunst vorbei, wo Martl arbeitet, Uhrmacher des Dorfs, ein geduldiger Mann mit hängender Lippe und Pickeln im Gesicht, guter Handwerker. Befragt vom achtjährigen Willy, woher denn die Pickel kämen, antwortete er listig: »Das ist die scharfe Luft.« Was zweifellos heißen sollte: Die Pickel kriegst du auch noch.

Wir sind bereits in die Birkenallee eingefahren, die zum Försterhäuschen führt, von ihr zweigt am Beginn des Waldes unsere Zufahrt ab, jetzt sehe ich schon das Haus. Ich hoffe, dass ich demnächst die alten Bücher wiedersehe und dass der junge Kerl reichlich liest, sonst komme ich nicht an sie ran. Heute wohl nicht mehr, er ist zu kaputt.

Die türkische Standuhr in der Diele zeigt halb acht. Im Esszimmer stehen belegte Brote und Saft bereit. Mutter klopft an die Treppenwand den Rhythmus des Liedes »Denkste denn, denkste denn, du Berliner Pflanze« – das Zeichen, dass ihr Vater zum Abendbrot herunterkommen soll. Mein Großvater, Fedor von Traumleben mit vollem

Namen, wohnt im obersten Stock, in seinem Atelier nach Norden zu, in dem er aber wohl nicht mehr malt. Sehr langsam steigt er die Treppe herunter. Er tut es der wackligen Knie wegen lieber »arschlings« – so hat einer der Altbauern den Rückwärtsgang genannt. Unten angekommen, dreht er sich um und fragt: »Ist Besuch da?« Was verneint wird.

Großvater spricht sehr wenig. Er gibt immer noch seine alten Sprüche zum Besten, etwa: »Das Leben ist eines der schwersten.« Und manchmal sagt er etwas, dessen Sinn er nur allein kennt. In welche Hand Messer oder Gabel gehören, weiß er nicht immer ganz sicher, aber er schafft es, selbstständig zu essen. Er ist ein würdiger alter Herr, sein gerades, kluges Gesicht erinnert heute durch den Kopfverband an heldenhafte Generäle im Film. Die Mutter erklärt ihm: »Der Junge war auf dem See, fast ertrunken!« Sie liebt ihren Vater, sie will eine Reaktion sehen. Er schaut sehr ernst und sagt »Besuch«, wahrscheinlich hat er nicht verstanden. Weil sie ihn so liebt, quält sein Zustand ihr Herz. Ständig versucht sie, für sich den früheren, unbeschädigten Vater wiederherzustellen, zupft am verrutschten Kragen, ordnet seine Haare. Das wirkt keineswegs liebevoll, sondern zappelig, ja aggressiv, besonders wenn sie viel zu schnell mit der Serviette über sein Kinn wischt, weil er gekleckert hat. Ich stelle sachlich fest, dass sie hübsch aussieht, oder aussehen könnte, wenn sie nicht dauernd so nervös wäre. Gut, heute ist ein schlimmer Tag, ich habe dazu beigetragen. Vielmehr, Willy hat das getan.

Aber ich bin genauso leichtsinnig wie Willy in einen Sturm gefahren, kann also nicht sagen: »Willy ist schuld.« Ich bin für den Leichtsinn eines angeblich erfahrenen alten Knaben verantwortlich, er nur für die Dummheiten des jüngeren.

»Morgen gehst du aber nicht zur Schule«, bittet die Mutter.

»Ich muss, Lateinarbeit.«

»Von der kann doch nicht so viel abhängen.«

»Nein, aber ich hab wie wahnsinnig gelernt.«

Der Vater mischt sich ein: »Lass ihn doch, vielleicht hat er auf dem See nur wegen der Klassenarbeit durchgehalten. Willy, du machst es wie der Pfarrer Assmann. Aber nicht, dass du uns dann zusammenbrichst!«

Vater liebt die Redewendung mit Pfarrer Assmann. Wer nach der Bedeutung fragt, hört nur: »Der machte es wie Pfarrer Nolte«, und erst auf die zweite Frage kommt: »Der machte es, wie er wollte.« Er ist begeistert, wenn er jemanden milde verpflaumen kann. Aber es gibt längst keinen mehr, der den Witz nicht kennt.

»Wollen wir denn noch Musik hören?«

Willy lächelt dankbar, möchte jetzt aber lieber schlafen gehen. Mutter macht ihm eine »potent brew«. So nennt sie ein Halbliterglas, zwei Drittel heißer Orangensaft, ein Drittel Gin oder Wodka. Das gibt es nur bei drohender Erkältung, aber irgendeine droht immer. Dass ich unter der Wirkung solcher Hausmittel nicht spätestens beim Abitur Alkoholiker war, wundert mich bis heute.

Beim Zähneputzen kann ich den Jungen erstmals im Spiegel genau ansehen. Blass, Schramme auf der Stirn, die linke Braue aufgeplatzt, das Auge blutunterlaufen. Das Kinn ist auch angeschürft, das wird morgen beim Rasieren – Moment, habe ich mich mit sechzehn schon rasiert? Wir werden sehen. Der Körperbau ist leptosom, dünn bis mager, wenn auch sehnig. Die Muskeln mögen geübt sein, optisch machen sie nicht viel her, insbesondere nicht die Brustmuskeln. Beim Einatmen sehe ich nichts als Rippen. Was der Bursche wohl wiegt? Mehr als fünfzig Kilo kaum, trotz der Länge. Ich weiß, dass ich unter meinem Aussehen litt. Ich wollte Pykniker oder Athletiker sein, muskelbepackt und massiv, ein Mann mit Wasserverdrängung. Deutlicher vorhanden sein! Aber all der Lebertran der Nachkriegsjahre verhalf mir nicht zu einem Körperbau, der mir gefallen hätte.

Etwas wirkt beruhigend: Ich habe das Gefühl, in genau dasselbe Gesicht zu sehen wie heute Morgen als Achtundsechzigjähriger, habe keine Schwierigkeit, mich zu erkennen. So wie hier im Spiegel sehe ich mich seit Jahrzehnten (Schrammen und Veilchen bleiben unberücksichtigt). Dabei weiß ich, dass kein anderer mich anhand meines Jugendbildes auch nur erkennen würde. Innerlich, in der persönlichen Optik, bleiben wir sechzehn. Außer wir sind gerade einmal steinalt.

Nun sind wir im Bett, ich so mehr theoretisch, der Junge aber richtig, mit Flanellnachthemd und unter dem Plumeau. Er ist so müde, dass er sofort einschläft. Das ist jetzt ein spannender Moment: Schlafe ich auch ein, schlafe ich seinen Schlaf, träume ich seine Träume oder eigene? Werde ich überhaupt schlafen, so ohne Körper? Er hat das Licht angelassen. Ich weiß, dass ich das in der Jugend oft tat und dafür gescholten wurde. Es war die Angst, im Dunkeln allein zu sein, aber ich weiß nicht mehr, wovor ich mich fürchtete.

Nein, bisher schlafe ich weder, noch träume ich. Es ist mir auch nie zu Ohren gekommen, dass Geister das tun. Und ich kann immer noch sehen, obwohl Willys Augen geschlossen sind. Vor ein paar Wochen noch hat mein Optiker bei mir eine »Dämmerungsschwäche« festgestellt und den gesteigerten Verzehr von Karotten empfohlen. Nicht mehr nötig, ich sehe scharf wie eine Nebelkrähe. Nun müsste ich hingehen und die Bücher herausziehen und aufschlagen können. Der Anblick der vertrauten Buchrücken macht mich so neugierig auf das Wiederlesen. In Willys Zimmer steht all das, was seinem Hunger auf außerdörfliche Abenteuer entspricht: Ich erkenne *Antonio Adverso* von Hervey Allen, *Der Tunnel* von Bernhard Kellermann, Churchills *Weltabenteuer im Dienst* und *Das große Heute, das größere Morgen* von Henry Ford. Das sind Bücher der älteren, ja der Großelterngeneration. Einige sind aber auch neu, geschenkt oder sogar vom Taschengeld gekauft: Peter Bamm, *Frühe Stätten der Christenheit*, ferner ein paar Bände *Guter Kamerad* und *Neues Universum*. Der matt schimmernde grüne Rücken dürfte Graf Yorck von Wartenburgs *Weltgeschichte in Umrissen* sein, das Buch daneben *Und die Bibel hat doch recht* von Werner Keller. Im Fach darunter steht das Praktische: *Tanzen leichtgemacht*, ferner ein Bastelbuch und mehrere Bände der *Neuen Foto-Schule* von Hans Windisch, einem Autor, der in Chieming wohnt. Willy fürchtet ihn etwas – der näselt ständig so abwertend über alles, nichts ist ihm recht. Zu klug, zu magenkrank, zu eingebildet. Willys Fotoapparate dürften in der Schreibtischschublade sein, die alte Box und die vom Vater abgelegte Balda. Und der Belichtungsmesser.

Die Schulbücher zum Lernen stehen irgendwo versteckt, die möchte Willy offenbar nicht dauernd anschauen. Auf dem Nachttisch liegt ein Buch von Fritz Baade, ich erkenne es am Einband aus gelbem Packpapier: *Welternährungswirtschaft*. Ich habe das optimistische, fortschrittsfreudige Buch geliebt, wahrscheinlich hat es später irgendwie dazu beigetragen, dass ich Sozialdemokrat wurde. 1958 wusste ich nicht einmal genau, was die Roten wollten, ich vergötterte Adenauer. Unter dem Baade, halb verdeckt, sehe ich Pachtners *Richtig denken – Richtig arbeiten*, es hängen Merkzettel heraus. Das liest der Junge nun voller Glaubensbereitschaft Tag für Tag, ein Ermutigungsbuch mit der Botschaft »Jeder kann es schaffen«.

Mein Auge sucht vergeblich ein Buch meines Vaters, zum Beispiel *Keine zehn Pferde – Ein Zwischenruf*. Dieser geschichtenreiche Wutausbruch gegen die deutsche

Wiederbewaffnung ist 1956 erschienen, und er hat mir das Buch geschenkt. Ich habe es sogar gelesen, nur um drei Jahre später doch zur Bundeswehr zu gehen. Im Moment sehe ich es nirgends.

Das muss ich jetzt unbedingt herausfinden: wie ich nachts in Bücher schauen kann, während Willy schläft.

Meine alten Kinderbücher sind wohl in die Kommode verbannt, darunter *Mario und die Tiere* von Waldemar Bonsels, mit dem wunderbaren Kapitel »Der See«. Und seine *Biene Maja*, die ich mit fünfundzwanzig noch einmal zur Hand nahm und für nationalsozialistisch angehaucht befand. Es ist bemerkenswert, mit welch traumhafter Sicherheit Kinder ideologischen Schwachsinn überlesen, eliminieren, isolieren können, sodass nur die spannende Geschichte übrig bleibt. Ich jedenfalls halte es für unwahrscheinlich, dass ich als Kind von irgendeinem Buch mit »Weltanschauung« infiziert wurde, ich schied sofort alles aus, was mir komisch vorkam.

Im Regal entdecke ich den Stehsammler mit den Donald-Duck-Sonderheften. Als ich acht war, sah Mutter in ihnen eine Gefahr für meine geistige Entwicklung. Wüsste sie, dass der Halbwüchsige sie immer noch liest und sogar vor dem Rigorosum noch lesen wird, sie würde einen Arzt bemühen. Dabei waren die Texte in den Sprechblasen literaturpreisverdächtig gut, eine Dr. Erika Fuchs hatte sie verfasst und wurde dafür schließlich von einer ganzen Generation verehrt. Willy wird das seiner Mutter später mitteilen, gut dreißig Jahre danach, und sie wird erstaunt murmeln: »Nie gehört!«

So ist es mit der geistigen Entwicklung: Sie lebt nicht nur von ständigem Vorwärts und Zuwachs. Ich hatte Angst damals, Versagensangst, und das ist die zuverlässigste Bildungsblockade überhaupt. Aus Angst blockieren die Synapsen, aus Angst geben wir vor dem Ziel auf. Um einigermaßen gelassen und klar zu bleiben, brauchte ich regelmäßig eine starke Dosis geistiger Unterforderung. Ja, Regression – ich las Kinderkram. Mit dem tröstenden Gefühl, etwas auf dieser Welt ganz selbstverständlich und sofort zu verstehen. Ich habe noch während des Studiums *Sesamstraße* angeschaut, um meinen Kopf auszuruhen, und während der Vorbereitung aufs erste Staatsexamen liebäugelte ich mit dem Gedanken, unter falschem Namen einen Kurs »Deutsch für Ausländer« zu belegen: Er wenigstens versprach sicheren Erfolg.

In diesem Moment wird die Tür einen Spalt geöffnet, eine Hand langt herein und dreht den Lichtschalter: Vater. Wenn er es bis morgen Mittag nicht vergessen hat, sind beim Essen Vorhaltungen zu erwarten. Strom sei teuer, alle eingeschalteten Geräte im Prinzip gefährlich, auch eine Sechzig-Watt-Birne, und wir seien hier in einem Holzhaus. Ja, ich weiß es noch, genau das wird er sagen.

Das Licht ist aus, und ich lerne, dass Geister im Dunkeln besser sehen können als Menschen mit Körpern. Und, Donnerwetter: Sie können sich von den Schlafenden wegbewegen, an die sie sonst gebunden sind. Heißt das, dass ich einem schlafenden Willy entfliehen könnte? Wäre gut, aber wohin denn? Ich müsste vor allem aus dem Jahr 1958 fliehen können. Und ich merke leider: An der Tür ist Schluss. Wie soll ich sie öffnen, wenn ich nichts bewegen kann, nur mich selbst? Nein, aussichtslos. Erst mal nachdenken! Ich setze mich auf Willys Schreibtischstuhl, der immer so geknarrt hat. Ach, täte er's doch auch unter mir! Ich erlebe eine mir bisher unbekannte Kränkung: nichts zu wiegen.

Der Tunnel! Ich würde jetzt gern die Stelle aufschlagen, die ich einst für eine Deutsch-Hausaufgabe abschrieb, mein erstes und einziges Plagiat. (»Stimmungsbild: Beschreibe den Bahnhof Traunstein!«) Ich wählte aus Kellermanns Zukunftsroman die Schilderung des nächtlichen New Yorker Atlantik-Kopfbahnhofs mit seinem Reklamegefunkel und endete mit: »Am Himmel stehen blass, unscheinbar, elend, geschlagen die Sterne und der Mond.« So hatte noch keiner den Bahnhof Traunstein gesehen! Der Lehrer gab mir für das Stimmungsbild eine glatte Eins; ich musste nach vorn kommen und die Arbeit vorlesen. Ich schämte mich so, dass mein Blut in den Ohren rauschte. Obendrein hatte ich die Angst, es könnte sich ein Mitschüler melden: »Herr Professor, ich hab das schon mal gelesen!« Eine überflüssige Angst, denn auch ein Wissender hätte sicher geschwiegen – Petzen war geächtet.

Das Wiedersehen mit meinen Eltern bewegt mich nun doch. Gefühle scheinen sich bei Geistern verspätet einzustellen. Schade, dass ich die Mutter nicht umarmen kann. Vater habe ich nie umarmt, Männer taten das nicht.

Ich bin immer noch erstaunt, wie jung sie sind – das Erinnerungsbild, das sich bei mir festgesetzt hatte, war das einer Mutter von Ende fünfzig, eines Vaters von über siebzig. Auch die Betrachtung von Fotos in den Alben konnte dieses Normalbild nicht verjüngen.

Was sie sagen und tun, bestätigt, was ich von ihnen weiß. Einiges irritiert mich auch. Ich erinnere mich an einen imposanteren, eitleren Vater, einen Wortlöwen, der am liebsten sich selbst zuhörte. Vielleicht war er heute zu betroffen von meinem Abenteuer, er schien mir nachdenklich, fast melancholisch. Und Mutter scheint mir ruhiger und milder gewesen zu sein als heute, zugewandter und liebevoller. Ich weiß noch, wie sie mir damals die aufgerissene Hand verbunden hat, fürsorglich und vorsichtig. Nun, das brauchte sie heute nicht. Da ich mir die Hand nicht verletzt hatte, gab es nichts zu verbinden.

Hier unterscheiden sich also die Erinnerung und das Erleben heute. Das bedeutet, ich erinnerte mich bisher falsch!

Oder aber, dass ich eben nicht einfach nur zurückversetzt bin, sondern dass das, was im Moment geschieht, etwas anderes ist als damals. Die Verletzung der rechten Hand fand damals statt, diesmal fiel sie aus. Wenn dem so ist: Was wird noch alles korrigiert werden, was wird beim neuen Durchlaufen meines Lebens anders sein? Denn sollten tatsächlich Vorgänge abweichen, hätte das Auswirkungen. Dass winzige Kursänderungen ein Schiff an einer ganz anderen Stelle landen lassen können, weiß ich als Segler.

Meine Chance könnte sein, dass der Ausflug in die Vergangenheit nicht so lange dauert, um Schaden anrichten zu können. Oder, eine andere Möglichkeit, ich bin sowieso ohne Chance, weil ich bereits jetzt tot bin! Es ist das Wahrscheinlichste. Mein Ich ist, während meine Leiche dem Schilfgürtel des Ostufers zutreibt, in eine frühere Zeit ausgewichen.

Nur, was hätte diese Gastrolle in der eigenen Jugend für einen Sinn? Ich existiere als Satellit eines Sechzehnjährigen, als Geist, als körperloses Geheimgehirn, das sich nicht mitteilen kann, auch nicht dem Jungen. Er merkt meine Gegenwart nicht. Oder auf irgendeine Weise doch? Wir werden sehen.

Meine Gedanken erlahmen, ich werde so etwas wie müde. Hinzulegen brauche ich mich nicht. Wenn Geister schlafen können, dann sicher auch sitzend, stehend, schwebend. Ich erwache im Morgengrauen. Ja, ich habe so etwas wie geträumt, ich sah die offen stehende Bootshüttentür und wachte verstört auf. Erster Gedanke: Jetzt ist die Seilwinde weg, und das Werkzeug auch! Man soll eben nie annehmen, man sei bald zurück.

Der Junge schläft noch. Es ist halb sechs, und bis der Wecker klingelt, kann ich noch einmal Bücherrücken studieren. Da stehen zwei Lieblinge nebeneinander: Marc Aurels *Selbstbetrachtungen* und Stefan Zweigs *Joseph Fouché*.

Typisch für Willy, dass er mit beidem liebäugelt: einem Philosophenkaiser nachzueifern und einem alleswissenden Schnüffler von intriganter Macht. Ja, ich war ambivalent, mehr als das, ich malte mir jeden Tag meine Persönlichkeit anders aus, aber immer als markanten bis gefährlichen Mann, zumindest gefährlich aussehend. Heute weiß ich: Nur wer Angst hat, will gefährlich aussehen.

Ansonsten sind viele der Bücher hier auffallend alt, Vorkriegsware, peinlich gestrig, sogar Nazizeug. Halb herausgezogen: *Cromwell* von Mirko Jelusich. Ein ziemlich vergreister Bücherschrank, mit guten Klassikern wäre er jünger. – Im Sommer 1959 wird Willy eine Reise nach England machen, zu entfernten Traumleben-Verwandten, die seit den frühen Zwanzigerjahren Engländer sind und womöglich englischer als jeder Engländer. Die Tante wird ihn fragen, was er denn von den Nazis halte, und seine korrekte Antwort wird lauten: »I hate them more than anybody else.« Dann will sie wissen, was für Lebenspläne er habe, und Willy wird sagen: »I want to become important and get influence.« Die Tante wird entsetzt antworten: »But this sounds rather Nazi!« Auslandsreisen, selbst zu Verwandten, können sehr auf die Stimmung schlagen, wenn man zu einer Nation gehört, die soeben bis in die Steinzeit verschissen hat.

Der Wecker klingelt, es ist sechs. Willy bleibt regungslos, obwohl er eine Zehntelsekunde lang die Augen aufgemacht hat. Stellt sich schlafend, damit die Uhr sich das noch einmal überlegt. Dann streckt er sich stöhnend und greift zum Kopfhörer des Detektorempfängers in der Wandnische, den Vater für ihn gebastelt hat. Man braucht ihn nicht einzuschalten, er empfängt immer, und zwar nur AFN – »American Forces Network«. Interessant: Ich bin so weit doch mit Willy eins, dass ich alles so höre wie er. Begleitgeister brauchen keine eigenen Kopfhörer. Die Musik: Country, zum Beispiel Johnny Cash: »Guess things happen that way«. Die Sendung heißt *Hillbilly Reveille*, der Junge schläft darüber wieder ein, hat aber vorsichtshalber den Wecker erneut gestellt. Die Sendung ab halb sieben heißt *Bouncing in Bavaria*. Erneuter Aufstehversuch, diesmal muss Willy sich von Pat Boone, Paul Anka und Elvis Presley losreißen. Er tappt zum Waschtisch im Flur, putzt sich die Zähne mit Chlorodont und rasiert sich nass, alles merkwürdigerweise mit der linken Hand, die rechte lässt er hängen, obwohl sie, wie gesagt, nicht verletzt ist. Er muss sie aber dann doch hinzuziehen, um die Flasche mit dem Rasierwasser aufzuschrauben. Pitralon, er trägt es auch an Stellen auf, wo er sich garantiert nicht rasiert hat.

Ich kann immerzu sein Gesicht studieren: Kein holder Knabe im lockigen Haar, im Moment eher Frankensteins Monster – das Auge ist jetzt völlig blau, das Pflaster auf der Stirn durchgeblutet, wahrscheinlich hat er sich nachts aufs Gesicht gewälzt. So ist es: Ich sehe die Flecken auf dem Kopfkissen, als er wieder ins Zimmer geht und sich anzieht. Braunes Militärhemd mit Brusttaschen – die Amerikaner verkaufen so etwas in München gebraucht –, dazu eine kurze schwarze Cordhose. Und dann auch noch hellblond – mir ist viel später bewusst geworden, dass ich damals wie das Plakat eines Hitlerjungen daherkam und sehr gemischte Gefühle auslöste.

Frühstück: Bircherbrei mit Rosinen und Haferflocken, von Mutter abends schon angerührt und inzwischen etwas angetrocknet, Schwarzbrot mit Margarine und Honig, in der Thermoskanne ist heiße Ovomaltine. Willy zieht ein Heft aus der Schultasche und memoriert ein paar Vokabeln.

Viertel vor sieben geht er aus dem Haus, schaut ins Gebüsch. Herrlich, was die aufgehende Sonne mit den taufeuchten Spinnweben macht. Dann betrachtet er sein

Fahrrad der Marke »Vaterland«, es blitzt einladend. Aber er hat mehr Lust, zu Fuß zu gehen. Er marschiert am See entlang, mitten durch sein altes Indianergebiet, die Büchertasche zerrt an seiner Hand. »Häuptling Schwere Tasche« hat Vater mich einmal genannt, als er mich losziehen sah, da war ich noch acht und ging in die Volksschule. Damals waren im Ranzen aber nur halb so viele Bücher, und er wurde auf dem Rücken getragen. Im Gymnasium war das nicht mehr schick, ich schleppte neun Jahre lang dicke Henkeltaschen, seither habe ich eine Hängeschulter, und der rechte Arm ist länger als der linke. Beim Militär stellten sie das millimetergenau fest, mit der merkwürdigen Konsequenz, dass ich dann am häufigsten das Maschinengewehr schleppen musste.

Jetzt fällt mir wieder ein, warum der Junge möglichst viel mit der linken Hand erledigt – auch beim Frühstücken war es offensichtlich: Ich glaubte damals meine Intelligenz erhöhen zu können, indem ich »die rechte Gehirnhälfte stärkte«. Rechtshirn, Wiedererkennungshirn – irgendwo gelesen, vielleicht im Richtig-Richtig-Buch? Ich war ein recht sonderbarer Junge: dauerndes Schwanken zwischen größenwahnsinnigen Träumen und tiefer Trübseligkeit, krankhaft schüchtern, ständig in irgendeiner Versagensangst befangen, überwiegend feige, außer während akuter Phasen von Größenwahn. Mal traute ich mir die tollsten Dinge zu und redete darüber (was andere dazu brachte, mich für vielversprechend zu halten), mal traute ich mir rein gar nichts zu und glaubte sogar fest daran, keinerlei Zusammenhänge herstellen zu können. In einem meiner Zeugnisse stand der freundliche Satz: »Im Rechnen gibt er manchmal vor dem Ziel auf.« Dritte Klasse Volksschule, der Lehrer hatte meinen Webfehler erkannt.

Was in aller Welt verdammt mich dazu, diesem etwas zweifelhaften jungen Mann noch einmal zuzuschauen?

Soll ich seine Rätsel abermals lösen? Ich weiß doch schon alles!

Der See rauscht noch, aber gemütlicher. Auf dem Weg liegen immer wieder große Äste, der Sturm hat das Ufer durchgekämmt. Der Schulweg ist lang, und Willy muss sich beeilen. Vor dem Huberhölzl verlässt er trotzdem den Weg und geht parallel dazu am Strand weiter, um vielleicht noch ein Treibgut zu finden, das von seiner gestrigen Havarie stammt – vergeblich. Ich weiß, dass er weiter südlich nachsehen müsste.

Hier am Huberhölzl haben 1945 deutsche Soldaten Waffen und Munition weggeworfen, um dann zu flüchten und in Zivil unterzutauchen – General Pattons Armee war schon im Anmarsch, ein unglaubliches Panzergedröhn. Jahrelang haben wir Buben nach den Patronen gesucht, sie eingesammelt und die Geschosse herausgeklopft. Messing und Kupfer waren schon für sich interessant, das Beste war aber das Pulver, aus dem dann erste Feuerwerke wurden. In diesem Alter ist unwiderstehlich, was brennt, kracht und stinkt.

Willy entscheidet sich dafür, den Wegmacherzipf zu meiden und lieber landeinwärts am Peltzer vorbei zur Haltestelle zu gehen. Kritik vom Wegmacher Franz will er jetzt nicht hören, das kommt sowieso noch.

Die Bäume der Allee zum See, die ich aus meiner Zeit als riesige Gestalten kenne, wirken noch klein und mickrig. Dafür stehen direkt am Pfarrhof die drei hohen Pappeln noch, die bei Sturmbeginn stets als Erste rauschten und hell wurden, weil sich die Unterseite ihrer Blätter zeigte.

Willy passiert jetzt den ersten Bauernhof. Der Bauer vor dem Stall lässt die Mistgabel sinken und schaut ihm mit erstauntem Lächeln ins Gesicht, erwidert aber dann nur den Gruß. Der Helminger Lenz ist ein untersetzter, drahtiger Mann mit offenem, freundlichem Gesicht. Über seine Anna hieß es, als sie geheiratet hatten: »Mit der ist er aufgerichtet«, ich hörte den Satz mit sieben. Das ist seltsam in der Kindheit: Man hört etwas, versteht es kaum, vergisst es nie.

Ich weiß, dass seine Frau einst vor ihm sterben wird. Er wird als alter Mann auf der Bank vor der Haustür sitzen, von Trauer gezeichnet, aber mit lächelndem Gruß wie immer. Drei Jahre noch, dann stirbt auch er.

Jetzt ist Willy an der Hauptstraße, er kann von dort die Haltestelle sehen. Viele Wartende, er ist noch nicht zu spät dran. Sein Blick fällt auf den Werbespruch im Schaufenster: »Lecker, locker, leicht gekocht«. Der Ladeninhaber, ein Rheinländer, dichtet auch selbst Verse zur Hebung des Konsums: »Iss und trink, solang dir's schmeckt, schon zweimal ist das Geld verreckt!« Ein Chieminger Maler, genial aber mittellos, hat dazu die Illustration beigesteuert, einen Nudelesser auf dem Höhepunkt der Begeisterung. Ob Willy schon etwas über das Inflationsjahr 1923 im Geschichtsunterricht gelernt hat? Ich habe nur eine undeutliche Erinnerung daran, welcher Stoff in welcher Klassenstufe dran war, das gilt für alle Fächer.

Da kommt unser Bus. Er hat einen »Schüler-Anhänger«, der wie ein kleinerer Bus aussieht, aber mit einer Deichsel anstelle des Motors. In ihm fährt ein eigener Kontrolleur mit, der mit »Herr Schaffner« anzusprechen ist. Lange Jahre war das ein Flüchtling aus Ostpreußen, den man schnell auf die Palme bringen konnte und der gegen den grinsenden, neckenden Schülerplural immer dieselbe wirkungslose Drohung ausstieß: »Ich werd euch schon bei de Direktor komm'!«, weshalb er von uns »Der Werd-euch-schon« genannt wurde.

Wir steigen in den Anhänger, aber schade, dort ist nicht mehr der Werd-euch-schon, das war wohl früher. Jetzt kontrolliert ein Machtmensch mit scharfen Augen, ein Schülerdompteur, der manchmal Kopfnüsse verabreicht. Der Bus fährt los und passiert nach hundert Metern auf der linken Seite einen hohen, makellos rechteckigen Misthaufen direkt an der Straße. 1958 ist Chieming ein Dorf souveräner Bauern, und souverän ist auch dieser Misthaufen.

Der Schüleranhänger ist nicht sehr voll, niemand muss stehen. Da das Wetter bedeckt, aber warm ist, sind die meisten Schulkameraden aus Chieming mit dem Rad gefahren. Willy schaut schon nach ihnen aus, denn irgendwann wird der Bus sie überholen und muss wahrscheinlich hupen, weil sie nebeneinander fahren. Am Hundshölzl-Berg sieht er sie in die Pedale treten, einige strampeln besonders schnell, das sind die mit Gangschaltung. So eine wünscht sich Willy auch, das weiß ich genau, eine Fichtel & Sachs oder besser noch die Simplex mit dem langen Schalthebel.

Der Hundshölzl-Berg heißt im Winter »Letzte Hoffnung«. Das ist er manchmal tatsächlich, weil er zwischen Chieming und Traunstein die steilste Steigung ist: Bei Glatteis bleibt der Bus dort hängen. Mit Glück kommt man um die erste Stunde herum, und das ist an so einem Tage, wenn man doppeltes Glück hat, Mathematik.

Jetzt sieht er im Traunsteiner Vorort Wegscheid ein Haus, dessen blechbeschlagene Westseite bei einem Fliegerangriff von MG-Garben zerschossen wurde – wann wird das mal repariert? Auf der Straße davor starb ein Mann namens Breitenbach, der mit dem Rad nach Traunstein wollte. Einigen Fliegern machte es Vergnügen, die Menschen einzeln zu erlegen.

Bahnhof, Endstation. Hier beginnt der zweite Teil des Schulwegs, von der Haltestelle in die Stadt durch die Bahnhofstraße. Vorbei am Café Sterr, am Hotel Traunsteiner Hof, am Stadtpark entlang, Schüler ohne Ende, die größeren meist rauchend, da strömt sie hin, meine Generation, und hält sich für etwas ganz Besonderes, genau wie jede andere Generation davor oder danach.

Mir fällt allein vom Hinsehen vieles wieder ein, was Willy ganz bestimmt nicht interessiert – ich erfuhr es später, finde es aber jetzt in meinem Geisterhirn vor: zum Beispiel, dass in diesem Park ein Obelisk zum Andenken an diejenigen Traunsteiner steht, die für Frankreich gestorben sind, ja für, nicht gegen! Denn Napoleon nahm nach Russland viele Bayern mit. Ihnen ist sicher nicht klar gewesen, dass sie im Grunde für das Königtum der Bayern starben. Ohne Napoleon hätte es ein solches nie gegeben.

Auch die Lehrer streben der Schule zu und werden von Schülern mit dem Gruß »Sgoda Wessa« bedacht, einer entschlackten Form von »Grüß Gott, Herr Professor!«, worauf der Angeredete den Hut hebt und mit einem »Moin« antwortet. Dieser hier sieht fromm und etwas durchtrieben aus wie ein vatikanischer Diplomat, Guglweid sein Name – Mathematik, Physik und Chemie.

Da liegt sie, die Oberrealschule, ein großer Kasten mit Türmchen drauf. Es gibt noch ein anderes Gebäude namens Humanistisches Gymnasium ein paar hundert Meter entfernt. Längst sind die beiden Schulen zusammengeschlossen und haben denselben Direktor, den zarten, weisen Schnurrbartträger Engelhardt, genannt »der Bart«. Es gibt viele Klassen, in denen Oberrealschüler und Gymnasiasten gemeinsam unterrichtet werden, von den jeweiligen Spezialfächern abgesehen – die Humanisten haben Griechisch und viel mehr Latein.

Die Lehrer betreten die Schule durch den Haupteingang, vom Park her, die Schüler strömen durch den Nebeneingang am Schulhof, unter den vergitterten Augen des hohen alten Traunsteiner Gefängnisses, der sogenannten »Sametz-Alm«, weil sich ihm gegenüber das »Wirtshaus zum Sametz« duckt. Wie gern würde ich mit Willy durch mein altes Traunstein wandern, die Geschäfte von damals anschauen, in der Milchbar sitzen und Bananenmilch durch den Strohhalm saugen. Was Geister aber gar nicht können.

Willy sitzt jetzt in einem Klassenraum an der Parkseite des Schulhauses, einem kleineren Zimmer, weil nur zwölf Humanisten in der siebten Klasse heute die »Lateinschützen« (Schulaufgabe aus dem Lateinischen) schreiben müssen, die Oberrealer sind derweil im Chemiesaal bei Studienrat Breitsameter.

Es sind genau die uralten Schulbänke, in die schon Joseph Ratzinger, später Kardinal und Papst, sich klemmen musste: eine Zweier-Schreibplatte, aus der sich zwei Tintenfässer herausdrehen lassen, um die Federn darin einzutunken (wir hatten aber längst Füllfederhalter), und zwei Sitzplätze, aus denen man beim Antworten leicht aufstehen konnte, weil die Sitzfläche zurückklappte wie bei einem Kinositz.

So warten sie nun, die Lateiner, und spielen nervös mit den alten Tintenfassdeckeln. Das heißt, nur die gut Vorbereiteten tun aufgeregt, und das ist möglicherweise eine Freundlichkeit gegenüber den schlecht Vorbereiteten. Herzklopfen haben alle. Willy blickt aus dem Fenster. Da steht das Auto von Direktor Engelhardt, ein wunderschöner Oldtimer, aber so etwas wird erst später schön gefunden werden, in den Fünfzigerjahren gilt es als altes Gelump. Ein Adler ist es, mit dezenten Chromleisten, geschwungenen Kotflügeln und vielen Lüftungsklappen am langen Kühler. Willy hat für ältere Autos nur Verachtung übrig, er ist begeistert von den neuen. Später wird er genau diese (inzwischen sind sie selber uralt) mit zärtlichen Blicken verfolgen, ob Ford 17 M oder Opel Olympia, Isabellas von Borgward und die eleganten DKWs, das sind intensiv duftende Zweitakter, berühmt für den Gesang ihres Motors.

Die Klasse erhebt sich: Lehrer Schlachtbauer kommt mit listigem Gesichtsausdruck herein und hält einen Stapel Papier in der Hand.

»Guten Morgen!«

»Gu-ten-Mor-gen-Herr-Pro-fes-sor!«

Als Erstes wird das Vaterunser gebetet, natürlich lateinisch: *Pater noster qui es in coelis*. Ja, Plural! Der Vater ist »in den Himmeln«, was sofort an die Existenz anderer Religionen denken lässt.

»Amen. Bitte setzen Sie sich!« Stimmt, ab der siebten wurden wir gesiezt, vielleicht sogar schon ab der Sechsten. Und schon teilt er aus: erst das Papier zum Schreiben, dann den hektografierten Text zum Übersetzen. Vom Lateinischen ins Deutsche. Ich weiß, dass Willy es kann, mir wird trotzdem bange, mir, dem Alten an seiner Seite, denn mein Latein ist längst verdunstet.

Schlachtbauer heißt bei den Schülern »Der Schlachte« mit leicht gedehntem, aber unbetontem e, eine Koseform. Nördlich Bayerns würde er wohl Schlachti heißen. Wer bei ihm Griechisch lernt, nennt ihn Sphatto, griechisch für »ich schlachte«. Er hat etwas von einer gütigen Bulldogge, das macht der Unterbiss, mit dem er besonders breit lächeln kann. Dass »hierbei« sein Lieblingswort ist, mag damit zusammenhängen. Sein Blick fällt auf Willys blaues Auge: »Aha, beeindruckend! Kleine Meinungsverschiedenheit, nehme ich an.«

Viertes Kapitel

Unterricht

Willys blaues Auge ist auch den Schülern aufgefallen, aber sie müssen ihre Fragen verschieben. Nur der Banknachbar zischelt: »Und wie sieht das Boot aus?«

»Der Schwertkasten ist hin, das Schwert liegt auf dem Grund. Alles andere schwemmt es wahrscheinlich noch an: Segel, Mast, Steuerruder und Riemen, Bodenroste ...«

»Herr Weitling, es wird nicht mehr geredet!«, sagt Schlachtbauer scharf. Herr Weitling! Per Anrede versuchte man uns ins Erwachsenenalter zu schieben; aber es war noch zu weit weg. Uns fehlte es am Ernst. Noch kurz vor dem Abitur begingen wir unfassbare Schülerstreiche, ich war sogar als Soldat noch ein zu groß geratenes Kind. In früheren Jahrhunderten ist das anders gewesen, das Leben war zu kurz für lange Kindheiten.

Es ist still. Alle sind noch dabei, die Aufgabe zu lesen, nur einer in der ersten Bank kritzelt schon mit piepsender Feder, das macht nervös. Man starrt böse auf seinen Rücken: Streber! Ich weiß nicht, ob Willy beim Lesen des lateinischen Textes bange geworden ist oder ob er ihm leicht vorkommt. Ich kann allenfalls erraten, wie er sich fühlt, kann es erschließen aus dem, was ich sehe und höre. Schauen kann ich am Tage nur in Willys Blickrichtung, aber daraus wird immerhin klar, was ihn interessiert und was nicht. Sätze und Dialoge höre ich ohne Einschränkung, meine Altersschwerhörigkeit ist Vergangenheit (oder vielmehr sichere Zukunft), und mein Gedächtnis scheint mir besser denn je, ich kann insbesondere alles rekapitulieren, was ich seit der Landung beim Wegmacher gesehen und gehört habe, auch genau in der richtigen Reihenfolge. Das Langzeitgedächtnis scheint mir irgendwie gespalten: Alles, was in der Kindheit liegt, ist klar konturiert, die Details funkeln nur so. Was hingegen in der Zeit nach dem Abitur passiert ist (von Willy aus: passieren wird), ist zwar erkennbar, wirkt aber nebliger. Bundeswehr, Studium, Liebesgeschichten, Berufsbeginn, Richteramt, Prozesse, sie alle erscheinen wie in einem etwas verwaschenen Aquarell, das auf energische Nachzeichnung oder Korrektur wartet. Mir wird etwas flau. Ja, ich habe eigene Gefühle und Stimmungen, und im Moment sind es Furcht und Sorge: Was wäre, wenn mein Leben jetzt übermalt oder umgezeichnet würde?

Schade, dass ich nicht wenigstens eine Nase habe. Ich kann nicht riechen, und hier fällt es besonders auf. Der Geruch meiner Schule war so vielfältig, so reich! Ich erinnere mich deutlich: ein Geruch nach Leibern, Füßen, nach dem Schweiß, den die Götter vor die Tugend gesetzt haben, nach Kreide, Tinte, Angst, Bohnerwachs und dem Holz uralter Schulbänke. Das Rasierwasser des schönen Turnlehrers Landvogt, das üppige Parfum einer Referendarin für Biologie – ich weiß die Düfte alle noch. Wenn ich hier schon als Schattenhirn mit Willy durch dick und dünn gehen muss, dann röche ich auch gern, bitte, was in der Luft liegt!

»Auszug aus der Germania des Tacitus«. Ich blicke schon seit Minuten auf diesen blassvioletten Texthaufen, ohne schlauer zu werden. Ein paar seltene Wörter werden per Fußnote erklärt, ein paar andere wüsste ich noch, aber zur Übersetzung ganzer Sätze reicht es nicht mehr. Der

Junge dagegen weiß Bescheid, er fängt gerade mit dem Schreiben an, die Feder jagt übers Papier. Ich habe begriffen, dass es völlig belanglos ist, ob ich etwas kann oder können würde – ich bin Zuschauer, ich lasse können.

Aber was war das für eine Schule, aus der ich zwar Namen und sogar die Gerüche der Lehrer mitnahm, nicht aber Vokabeln, Gedichte, Formeln, Geschichtsdaten? Nachsichtige sagen, wir sollen vor allem das Lernen lernen. Aber das Verlernen lernte ich offenbar noch besser. Es lag wohl doch an mir: Andere gingen mit dem Wissen sorgfältiger um, haben es geliebt, gepflegt, ausgebaut, ich hingegen behandelte es wie ein Zeitungsleser. Nur das Neueste interessierte mich, und nichts ist schneller wieder weg als das Neueste.

Tacitus könnte ich nicht mehr enträtseln. Ein paar Wörter weiß ich noch, aber die Grammatik! »Crediderim« – »Ich werde glauben«? »Ich werde Kredit geben«? »Nisi si patria sit« – »Es sei denn, es gäbe ein Vaterland«? Aussichtslos. Aber Willy schreibt, er wird das wohl alles richtig übersetzen. Er schreibt mühelos und schnell, kein Verband behindert ihn. Wie gesagt, ich glaubte bisher, die Lateinarbeit am Tag nach dem Sturm mit verbundener Hand geschrieben zu haben. Jetzt erlebe ich einen geänderten Ablauf, der die bisher für mich gültige Erinnerung zu Makulatur macht. Ich habe Angst, dass noch mehr geändert wird, dass mein ganzes Leben anders verlaufen könnte. Dann würde ich sicher mit einer Frau alt werden müssen, die ich mir als der Mann mit der Handnarbe nicht ausgesucht habe. Oder bin ich am Ende dieses Lebens-Remakes ganz ohne Frau?

Ab und zu blickt Willy auf und sucht den Blick der Schulkameraden, wozu er sich sogar umdreht. In den letzten Bänken sitzen die drei Mädchen der Klasse, aber sie sehen ihn nicht an. Sie beugen sich konzentriert übers

Papier, scheinen geradezu hineinzukriechen. Die Blonde ist hinter ihrem Haarvorhang so verborgen, dass ich mich frage, ob ihre Augen überhaupt den Text erkennen können. Wichtiger scheinen im Moment die Ohren: Ihre Nachbarin bewegt den Mund – die Blonde lässt sich diktieren. Eine der Chancen von schlechten Schülern ist, dass ihr Banknachbar Erbarmen kennt und dass sie ein gutes Gehör haben. Aber auch das kann vergebens sein, wie in der Geschichte von dem Lateinschüler, der eine nahezu fehlerfreie Arbeit abgibt und dennoch eine Sechs bekommt. Aufgabe war eine Übersetzung aus dem Deutschen ins Lateinische, und in seinem Text steht an zwei Stellen, ohne jeden Zusammenhang, das Wort »hostes« – lateinisch für »Feinde«. Der Lehrer muss nicht lange rätseln: Es ist die Frage »Host es?«, bairisch für »Hast du das?«.

Inzwischen sind nur die völlig Ratlosen noch am Überlegen, alle anderen kritzeln. Meist stützen sie den schiefgelegten Kopf in die Hand, so lässt sich am besten überblicken, was der Nachbar zuwege bringt. Willy erspart sich diese Mühe, der Gute rechts neben ihm steckt immer noch im ersten Satz fest. Der Junge ist ein lieber Kerl, ein Ausbund an praktischer Vernunft, Sohn eines Traunsteiner Orthopäden, hat aber kaum Zeit zum Lernen und ist meistens müde. Der Vater bewirtschaftet nebenher einen Bauernhof. Das heißt Ausmisten statt Hausaufgaben, Kälbern aus der Kuh heraushelfen statt ausschlafen. Willy wird ihn abschreiben lassen, und Schlachtbauer wird diesmal nichts merken: Ich weiß genau, dass ich für die Tacitus-Arbeit eine Eins bekommen habe, und das wäre anders gewesen, hätte er uns erwischt. Aber Vorsicht, wie kann ich da sicher sein – vielleicht schaut Sphatto einen Moment zu früh über seinen Brillenrand, sieht alles, und nach dieser Note »Sechs« ändert sich mein Leben, sturzbachartig strömt es in eine andere Richtung, Richter Weitling verabschiedet sich ins nie Dagewesene, ein Knastbruder Weitling betritt die Szene, drogenabhängig womöglich, und alles wird bös enden.

Immer mehr Schüler haben aufgehört zu schreiben, einige blicken sich mit gerunzelter Stirn nach allen Seiten um, scheinbar noch in tiefer Konzentration. Der Sitzenbleiber der Klasse gehört dazu, der schon fast ein erwachsener Mann ist, kraftvoll, stets überlegen lächelnd, sportlich phänomenal, die Mädchen finden ihn umwerfend – und man munkelt, dies könne fallweise wörtlich genommen werden. Aber er ist unwandelbar schlecht in allen Fächern. Vielleicht ist ihm der Stoff, für den er sich schon im letzten Schuljahr nicht erwärmen konnte, in diesem noch langweiliger, zudem geniert er sich wohl, sein bisschen Wissen vom letzten Jahr zum Besten zu geben, wenn der Lehrer eine Frage stellt. Auch für eine gute mündliche Note fehlt die Grundlage.

Als Erster gibt Rainer ab, einer der Besten in Latein. Er tut gar nicht erst so, als müsse er alles noch einmal überprüfen. Dieser zierliche und schwarzhaarige Mensch war mit zehn oder elf so hübsch, dass ich mich in ihn verliebte und ihm lateinische Briefe schrieb. In ihnen war aber nicht von Liebe die Rede, alle erotischen Vorstellungen lagen mir fern. Ich stellte mir allenfalls vor, dass ich ihn aus einem brennenden Haus rettete und dann seinen Dank abwehrte. Er merkte von meinen Gefühlen nichts, schon weil kein Haus, in dem er sich befand, je brennen wollte, jedenfalls nicht in meiner Gegenwart.

Später fing meine Erotik an, etwas klarer zu wissen, was sie wollte. Die erste Liebe zu einem Mädchen richtete sich auf eine filigrane Schwarzhaarige, und mir war niemals auch nur entfernt bewusst, dass sie Rainer ähnlich sah. Dabei hätte ich es wahrnehmen müssen, zu meiner Lieblingslektüre gehörte *Das Flibustierbuch* von August Niemann.

In diesem Roman »für die reifere Jugend« kämpfen zwei Flibustier (Freibeuter) stets Seite an Seite gegen die Spanier, ein zierlicher Kreole und ein ungeheuer starker Franzose, genannt Alexander Eisenarm. Sie sind überhaupt unzertrennlich, und gegen Ende des dicken Romans stellt sich heraus, dass der Zierliche eine in Männerkleidern geflüchtete Prinzessin ist und der Franzose ein Graf, welcher sie erwartungsgemäß heiratet. Vielleicht habe ich unter dem Einfluss dieses Buches in Rainer einen schutzbedürftigen Flibustier gesehen und gehofft, er möge sich als edle Kreolin entpuppen.

Mein schmächtiger Freibeuter wurde später Gymnasiallehrer, erkrankte mit fünfzig unheilbar, starb lange vor dem Ruhestand. Schade, er war ein liebenswürdiger und gescheiter Mensch.

Von einem anderen, der jetzt seine Arbeit abgibt und hinausgeht, weiß ich, dass ich ihm rund fünf Jahre später wegen einer akuten Verlegenheit zweihundert Mark borgen werde.

Innerhalb von Tagen wollte er mir's zurückgeben. Doch mein Geld ging dann wohl eine chemisch nicht mehr lösbare Verbindung mit seiner Lebensplanung ein. – Was ist ein Freund? Einer, der einem Geld leiht. Aber von da an ist er es nicht mehr, denn er will es zurück. Ich habe von dem Mann nie wieder etwas gehört.

Willy nähert sich den letzten Sätzen. Ich weiß inzwischen, dass die Aufgabe drei Abschnitte über Germanien enthält, einen über die Unwirtlichkeit des Landes und zwei über die Rückständigkeit seiner Bewohner, aber immer mit Lob für ihren Kampfesmut und ihre Unverdorbenheit – die Germanen waren in alter Zeit naiv, treu und in hohem Maß gemeingefährlich. Heute sind sie von allem das Gegenteil, was mir insgesamt erträglicher vorkommt.

Willy schreibt seine gesamte Übersetzung noch einmal

ab und drückt einiges anders aus, damit sein Nachbar nicht wortwörtlich dasselbe vorlegt wie er. Es gefällt mir, dass er hilfsbereit ist. Sieh an, Richter Weitling ist schon mit sechzehn freundlich und umsichtig. Ich muss zugeben, dass ich mir »in jung« doch ab und zu gefalle. Bis zum Beweis des Gegenteils. Als der Nachbar versorgt ist, erhebt sich Willy und gibt seine Arbeit ab, Sphatto-Ich-Schlachte nimmt sie mit einem würdevollen Nicken entgegen. Er hat heute noch kein einziges Mal »hierbei« gesagt – hat sich auch in diesem Punkt etwas verändert?

Auf dem Schulhof stehen schon die anderen und rufen ihm entgegen: »Was hast du bei ›crediderim‹«?

»›Ich neige zu der Annahme.‹«

»Falsch, falsch!«

Es ist natürlich nicht falsch, denn wie wäre ich damals sonst zu meiner Eins gekommen?

Da hocken nun die Schüler beieinander, beißen schon ein wenig vom Pausenbrot ab, stecken die Nasen in den »Landgraf-Leitschuh« – die Lateingrammatik – und fahnden nach Falsch und Richtig. Der Hausmeister baut seinen Stand für die große Pause auf, verkauft aber schon den einen oder anderen Kakao.

Ich sehe also jetzt immer wieder in ein Lateinbuch hinein, und da ich schnell lese (für Geister wohl typisch), kommen mir bittere Gedanken über diese Art, eine Sprache zu lehren.

Wir wurden zu kleinen Sprachwissenschaftlern gemacht, die nicht sprechen konnten, zumindest nicht Lateinisch und Griechisch, auch kaum Englisch oder Französisch. Dafür konnten wir aus dem Stand aufsagen, welche Deklinationen und Konjugationen es gab, was es mit Numerus, Genus, Tempus und Modus auf sich hatte, Prädikat, Attribut, Subjekt, Objekt, wir konnten die Fülle der Regeln ausbreiten, der Ausnahmen von den Regeln und die Ausnahmen von den Ausnahmen. Das war, womit man uns die Köpfe füllte: Sprachwissen, nicht Sprachkönnen. Dabei war längst bekannt, wie viel rascher und zuverlässiger Kinder ihre Muttersprache lernen, ohne Wortkunde, Grammatik und Aussprachetabellen, einfach weil sie Sätze mitteilen oder verstehen möchten, die mit ihnen selbst zu tun haben, und weil sie dauernd hören, dass und wie das geht. Der Schulunterricht hingegen war pure Zusammenhanglosigkeit: Sätze waren nur Beispiele für Regeln, sie sagten für sich genommen, ohne den Hintergrund eines Mitteilungszwecks, gar nichts. Die Texte interessierten kaum. Niemand übersetzte sie, weil sie etwa unterhielten, belustigten oder Erkenntnisse boten, sie waren vielmehr Teststationen für Vokabelwissen und Trainingsgeräte für Grammatikkenntnisse.

Was ist davon geblieben? Wir lernten wohl etwas über die eigene Sprache, ferner über Lehnwörter aus den anderen. Wir lernten Logik: Das Unterscheiden von Indikativ und Konjunktiv, Realis, Irrealis und Potentialis gab uns Werkzeuge in die Hand, um im Deutschen Aussagen überprüfen und anzweifeln zu können. Für den angehenden Juristen war speziell der Lateinunterricht kein Totalschaden, denn es gibt Begriffe aus dem römischen Recht. Aber Lateinisch schreiben und sprechen lernte ich nicht, und Englisch auch erst, als ich in London ein Youth Hostel zu finden versuchte.

Gut, dass jetzt die Lateinbücher zugeklappt werden; alle müssen wieder hinein, denn vor der großen Pause kommt noch Biologie, gemeinsam mit den Oberrealschülern, jetzt sind wir achtundzwanzig, Gespenster nicht mitgerechnet. Den Unterricht wird die Referendarin mit dem Parfum halten, das ich aber leider nicht werde riechen können. Willy mag sie nicht, meiner Erinnerung nach, und für ihn ist sie ja auch schon im Tantenalter. Er wird versuchen, in ihrem Unterricht etwas zu schlafen. Er ist jetzt fürchterlich müde, ständig stützt er den Kopf oder lehnt sich irgendwo an. Warum gibt es in Schulen keine Ruheräume mit Liegen? Schon eine Viertelstunde Schlaf macht Schüler wie neu, vorausgesetzt, man kann sie wieder wecken.

Da ist sie schon, Fräulein Dr. Fafner, schwarzhaariges Bubiköpfchen über grauem Jackett, Hosenanzug. Trägt einen Drachennamen und ist das Gegenteil eines Drachens, schlank, anmutig, bildhübsch. Eine Referendarin, die es wagt, sich die Fingernägel rot zu lackieren – frech ist sie, selbstbewusst. Ich möchte mich umgehend materialisieren, aussehen wie etwa vor vierzig Jahren und wild auf den nächsten Feuermelder einschlagen, um den Unterricht zu beenden. Wie spreche ich sie an? »Darf ich Sie für einen Tag in mein Leben einladen? Gerne auch länger. Ich bin Wilhelm Weitling, Sie wissen schon, der kleine Penner dort, aber in fortgeschrittenem Alter und viel weniger müde. Na? Wie bitte, das interessiert Sie nicht? Sollte es aber, mein Engel, sollte es!«

Kaum male ich mir ein Gespräch aus, läuft es schief. Ich bin seit jeher Spezialist für geträumte oder vorgestellte Dialoge, die eine dumme Wendung nehmen. So geht es mir auch, als ich mir die Sache anders denke: Ich kann Willy beeinflussen, er tut, was ich tun würde, wenn ich könnte. Er geht am Ende der Stunde zum Pult, wo Fräulein Dr. Fafner noch Einträge ins Klassenbuch macht, und spricht sie an. Aber wie? »Fräulein Professor, für Sie würde ich mich scheiden lassen.« Sie lacht schallend und ist noch um ein paar Zähne hübscher. Dann antwortet sie: »Dafür müssten Sie erst eine andere heiraten – haben Sie schon eine Idee?«

Nein, mit Willy als Mittelsmann ließe sich wenig zuwege bringen. Ohnehin sollten Schüler von Lehrern keine Liebe erwarten, ebensowenig wie Lehrer von Schülern.

Und so habe ich das Gymnasium im Gedächtnis: Man begegnete uns mit einer unausgesprochenen und hinter Strenge versteckten, aber doch fühlbaren Sympathie, und so war das in Ordnung. Mir fällt die Kästner-Verfilmung *Das fliegende Klassenzimmer* ein, in der Paul Dahlke seine Schüler wegen eines Lausejungenstreichs mit großem Ernst befragt. Über eine der Antworten muss er eigentlich herzlich lachen, das darf aber niemand sehen. Daher dreht er sich schnell auf dem Absatz um, prustet, bringt sein Gesicht wieder unter Kontrolle, macht abermals kehrt und fragt mit gerunzelter Stirne weiter. Mir ist nur diese Stelle des Films in Erinnerung, sie gibt gut wieder, wie unsere Lehrer ihre Autorität zu schützen suchten: indem sie sich möglichst unbeeindruckt zeigten.

Ein Mitschüler, der tatsächlich später Biologe werden wird, hält jetzt ein Referat über Carl von Linné, den Mann, der im 18. Jahrhundert die Pflanzen klassifizierte und von dem sie ihre lateinischen Namen haben. Das ist für mich interessant, für Willy nicht im Geringsten. Er konzentriert sich auf seine Hände, zählt offenbar seine Narben. Da ist die große am rechten Daumen, die bei exzessivem Daumenlutschen entstanden ist, dann die am rechten Zeigefinger, die so lange nicht heilen wollte, weil winzige Glassplitter darin steckten. Ich hatte jemandem die Brille zerschlagen, aber nicht bei einer Prügelei, sondern aus Versehen beim Hampeln aus purer Albernheit. Dann kommen noch die an der linken Hand, eine vom Schnitzmesser, eine vom abgerutschten Schraubenzieher. Und alle sind wichtiger als Carl von Linné.

Ist Willys Narbenbesichtigung vielleicht unbewusst doch durch meine Sorge wegen der neuesten Wunde ausgelöst worden, welche fehlt? Bekommt der junge Willy mit, wie genau er vom alten Dr. Weitling beobachtet wird? Vielleicht ist das ja das Kreuz der Halbwüchsigenjahre.

Man ist fast noch ein Kind, spürt aber: Andauernd brennt da was, man fühlt sich wie unter einem Vergrößerungsglas und ahnt tief im Inneren, es ist der Blick des Greises, der man einmal sein wird. Ein unangenehmer Zustand, weil man nicht weiß, was der Alte da alles wahrnimmt. Man beobachtet sich bald selbst mit Argwohn, es wird zur Manie, die Unbefangenheit der Kinderjahre ist beim Teufel.

Nein, nicht das geringste Interesse für Linné. Willy könnte sich etwas aufschreiben, er führt doch zu Hause eine Wissenskartei? Aber die ist, wie ich noch genau weiß, auf Fortschritte gerichtet, alles, was in der Zukunft nützen oder womit man irgendjemandem imponieren könnte. Linné hat die Pflanzen eingeteilt, gut, dann sind sie es also jetzt. Willy grinst lieber mit den anderen beim »Sexualsystem der Pflanzen«, und er kichert mit, weil die Stadt, in der Linné seinen Lehrstuhl hatte, Uppsala heißt. Einer sagt, für alle hörbar: »Uppsala, mein Lehrstuhl fällt um.« Schallendes Gelächter, sogar die Lehrerin lächelt kurz, dann mahnt sie, man solle es dem Mitschüler nicht so schwer machen. Aber auch das ist ja beabsichtigt: Der Junge gilt als Streber, und auch sein beflissenes Referat über den Langweiler Linné und dessen Stempel und Staubfäden erscheint als weiterer Beweis dafür.

Schade, schon wieder würde ich gern als Jung-Willy in Erscheinung treten und diesmal über Linné etwas sagen: Er war auch ein komplett Verrückter, glaubte fest daran, dass Gott für jede Sünde Rache nähme, und schrieb in großer Heimlichkeit das Buch *Nemesis divina*, »Die Rache Gottes«, in welchem er versuchte, die Sünden und deren Bestrafung durch Unfälle, Krankheiten und Tod zu klassifizieren. Daher stammte die Idee, mein Buch »spes divina« zu nennen: Gott nimmt nicht Rache, sondern hofft auf Besserung.

Ach Willy! Da sitzt du nun, döst vor dich hin oder zählst Narben. Du legst das Fundament für ein langes, trübes Leben ohne Kenntnisse, ohne einen Schimmer von Wissenschaft. Mit sechzehn dachte Einstein bereits darüber nach, was Licht sei! Ein Wunder, dass dein Kopf überhaupt noch für eine Juristenkarriere reichen wird, und selbst das ist zur Stunde fraglich. Denn vielleicht erkenne ich auch hier Anfänge einer fatalen Änderung, etwa einer rapiden Entwicklung zur geistigen Armut hin trotz verbliebener Reste von lateinischer Grammatik. Schließlich nur noch Stumpfsinn im Stadium der Endfestigkeit. Name: Wilhelm Weitling.

Willy sieht auf die Uhr. Es ist zehn. Sollte die Zeitrechnung des alten Weitling in seiner Jugend genauso weiterlaufen – der nächste Tag im Jahre 2010 wäre dann auch der nächste Tag im Jahre 1958 –, dann käme in zwanzig Minuten Astrid am Bahnhof Traunstein an, und ich bin nirgends zu sehen. Was wird sie tun? Sie versucht mich anzurufen, spricht auf den Beantworter, der nichts beantwortet, wartet eine halbe Stunde und hinterlässt mir dann eine weitere Nachricht: »Ich fahre jetzt mit dem Taxi zu dir!«

Jetzt wäre der richtige Moment für einen dumpfen Knall, der mich wieder zum alten Weitling macht. Dann würde ich das Auto vor der Post parken, im Bahnhof eine Zeitung kaufen, gemächlich zu Gleis 2 gehen und merken, dass mein Herz klopft – darauf ist bis heute Verlass. Ich versuche, immer auf die Türen blickend, Astrid im hereinrauschenden Zug zu erspähen, sie steigt aber meistens vorn aus, wenn ich sie hinten suche, und umgekehrt. Umarmung, Koffer hinstellen, Kuss – »Hast du Hunger?« »Oh ja!« Astrid fängt an zu erzählen, was sie auf der Reise erlebt hat, ich verlade den Koffer. Astrid liebt die bayerische Küche, ich schlage ein Lokal vor, in dem es Chiemseerenken gibt, und zwar so, wie sie sein müssen. Neulich stieß ich auf eine mit Migrationshintergrund; sie war durch Knoblauch und Paprika all ihrer Poesie beraubt und firmierte als »Renke serbische Art«.

Wie schaffe ich es, hier herauszukommen? Wenn Willy einschläft, kann ich mich ja etwas von ihm wegbewegen, aber ob bis zum Bahnhof? Und wozu? Nur um dort für Astrid unsichtbar zu sein? Alles Rufen bleibt ungehört, schreckliche Vorstellung! Ich werde mich damit abfinden müssen, dass Astrid allein nach Chieming fährt und mich nicht findet. Dann ruft sie Bekannte im Dorf an und erfährt – ja, was? »Den habe ich lange nicht gesehen, er soll doch jetzt eine Freundin haben, nicht? Ach, das wussten Sie nicht?« Oder so: »Ich höre gerade von meiner Frau, er ist gestern mit dem Segelboot verunglückt, mein Beileid.« Oder klassisch: »Ihr Mann ist tot und lässt Sie grüßen.«

Ich bin ein Wesen, das sich immer noch für Wilhelm Weitling hält. Möglicherweise unzutreffend – ich könnte eine körperlose Abspaltung oder Doppelung sein, eine Art Echo. Am Bahnhof steht längst der ganz normale Pensionist Weitling in beeindruckend sichtbarer Gestalt, die Zeitung unterm Arm, und schaut auf die Uhr. Er ist froh, das gestrige Segelabenteuer mit leichten Blessuren überstanden zu haben. Von einem Geist, der sich in seiner Jugend herumtreibt, weiß er nichts. Da ist der Zug, da ist Astrid. Umarmung, Kuss, Koffer, Wirtshaus, vielleicht Renke. »Stell dir vor, was mir gestern beim Segeln passiert ist, aber bleib ruhig, es ist nichts passiert!« Dann die Heimfahrt, Astrid wirft zuallererst die Waschmaschine an, das tut sie immer, danach sinken die beiden ins Bett, um ganz kurz mal auszuruhen, wie sie einander versichern. Und ich? Ich fehle dabei in keiner Weise.

Die Biologiestunde geht inzwischen mit dem planmäßigen Stoff weiter: »der Mensch«. Es geht um Krankheiten. Das Buch wird aufgeschlagen, Abbildungen sind zu betrachten, Willy stützt die Wange auf den Handballen, die Finger über den Augen, und schläft ein. Natürlich tut er das. Warum sollten ihn, wenn er nicht krank ist, Gesundheitsfragen interessieren? Ich war als Halbwüchsiger der Meinung, ein hoher Blutdruck sei etwas Gutes, ähnlich einer hohen Intelligenz. In Bio habe ich ganz regelmäßig geschlafen. Selbst wenn ich gewusst hätte, was für eine Karriere der Wortteil »bio« noch hinlegen würde, es hätte mich nicht zu mehr Aufmerksamkeit veranlasst.

Tief schläft er und ruhig. Ich möchte die Gelegenheit nutzen, um mal am Pult einen Blick ins Klassenbuch zu werfen. Aber im selben Moment ist Fräulein Dr. Fafner, das hübsche Drächelchen, bei Willy und weckt ihn mit einer Frage nach dem Unterschied zwischen den Auffassungen Linnés und Darwins. Vielleicht will sie damit testen, wie lange er schon schläft, das Referat war ja vor zehn Minuten zu Ende. Mich schleudert es über die Bänke zurück wie von einem starken Gummiband gezogen, denn wenn Willy wach ist, ist mein Platz wieder in der Nähe seiner Augen. Ich bin so erschrocken, wie ein Geist nur sein kann. Wäre ich in einem Körper, so hätte der jetzt Prellungen oder Brüche. Zwar tut mir nichts weh, aber der jähe Ortswechsel war trotzdem ein erschreckendes Erlebnis, ein Schock, ich darf es nicht mehr dahin kommen lassen.

Beantworten kann Willy die Frage der Lehrerin nicht, dabei wäre das leicht: Linné dachte noch, Gott habe alle Arten so erschaffen, wie sie seien, man müsse sie nur noch ordentlich einteilen und benennen – von Evolutionslehre keine Spur. Aber da fehlt es bei Willy, obwohl er vorhin noch gar nicht schlief. Woran ist dieser Junge eigentlich interessiert, außer gelegentlich an den Noten, die er für die Versetzung braucht?

Große Pause. Unter den Gitterfenstern der »Sametz-Alm« wandern die Schüler hin und her, stehen in Gruppen, saugen durch Strohhalme Milch und Kakao aus den Pfandflaschen. Eigentlich kein schlechtes Gefängnis, wenn man von seiner Zelle aus in einen Pausenhof blicken kann, um die vielversprechende bayerische Jugend zu studieren. Eine neunjährige Haftstrafe bedeutet, dass man Schüler von der ersten Klasse an beobachtet, bis sie im Abitur stehen. Wen habe ich mal zu neun Jahren verurteilt? Ja, einen Kranführer Knorr, er kriegte mildernde Umstände.

Auch Lehrer sind zu sehen. Zwei haben Pausenaufsicht, andere kommen vom Gymnasium herüber, weil sie nach der Pause Unterricht in der Oberrealschule haben, also im Hauptgebäude. Da geht der katholische Religionslehrer Müllner, welcher »Schürkei« genannt wird, möglicherweise bedeutet das »kleiner Schurke«, ich als Lutheraner kann ihn aber schlecht einschätzen. Heute blickt er fürchterlich ernst drein, das muss er, denn sein Papst liegt im Sterben. In die Gegenrichtung strebt der beleibte Melf, genannt »Schweinzi«. Und begegnet dabei dem Mathelehrer Pfister, der keinen Spitznamen trägt. Er ist von allen Lehrern der am meisten gepeinigte; ganze Generationen von Schülern haben ihn brutal attackiert, bis heute weiß niemand warum, denn er war freundlich und beherrschte sein Fach.

Ich habe vor einem halben Jahr einen älteren Taxifahrer in Berlin wegen seines Dialekts angesprochen – ja, er kam aus Traunstein, war dort sogar aufs Gymnasium gegangen, ein paar Klassen unter mir. Schon der dritte Lehrername, den wir nannten, war Pfister! Und um den ging es dann von Mariendorf bis Schöneberg. Warum wir den so gequält hätten. Ob es an dem Kopfschuss lag, den er im Krieg abbekommen hatte? Oder daran, dass er unfähig war, einem Störer die verdiente Ohrfeige zu verpassen? Ohrfei-

gen gaben doch alle. Nur von Pfister war nichts zu be-
fürchten, er hob zwar die Hand, aber dann befiel ihn eine
Art Lähmung. In ihm dröhnte der Zorn, aber er schlug
nicht zu, es war wie eine Tötungshemmung, wir lachten
und lachten. Wenn ich mich für irgendetwas in meiner
Schulzeit gründlich schäme, dann dafür, wie wir mit Pfister umgegangen sind. Der Taxifahrer sah es genauso. Wir
seien grausam gewesen, instinktive Sozialdarwinisten, die
jede Schwäche gnadenlos bestraften. »Im Grunde«, sagte
dieser Mann, »waren wir doch kleine Nazis, ohne es zu
wissen, wir kamen aus dem Nazihumus. Nur autoritäre
Lehrer haben uns imponiert.« Von Schöneberg bis Char-
lottenburg sprachen wir dann noch über mein Thema, das
Rechtsempfinden, und dass es wohl nicht die ganz große
Stärke der 68er gewesen sei – wir sprachen über uns selbst,
wie immer gegen Ende einer längeren Taxifahrt. Berliner
Droschkenkutscher waren zu allen Zeiten meinungsstark,
seit 1968 sind sie gelegentlich weise, vor allem die Humanisten aus Traunstein.

Die Pause ist zu Ende, Willy hat die ganze Zeit nur
auf einem Mäuerchen gehockt und gegähnt, während die
anderen tobten, brüllten, sich im Fingerhakeln übten oder
einfach nur plauderten. Was ich vergessen habe: wie schnell
Schüler reden, wenn sie unter sich sind, ein Gezwitscher.
Wer da nicht mitkommt, ist alt oder dumm. Und worüber
sie reden! Fußball, Boxen, Mädchen, die neuen Autos der
Väter, vor allem über Dritte, und dabei fast immer über
die Außenseiter. Das sind die, die komische Sachen an-
haben, komisch reden, komisch aussehen oder aus einem
komischen Land kommen, zum Beispiel Preußen. Das
ist ein Gebiet, das vom Main bis nach Flensburg hinauf-
reicht. Gut, dass niemand aus »der Zone« kommt, denn
die ist noch nicht einmal preußisch, sondern stalinistisch.
Dort wird ständig nur gelogen, man weiß es, weil man ihren

Hetzsender gehört hat. Und es wird gemordet und eingesperrt, aber davon reden die Sender nicht.

Es gibt einen Lehrer hier, Reindl sein Name, der den
Spitznamen Stalin trägt. Aber nicht weil er über Leichen
geht, er sieht einfach aus wie Stalin: markantes Gesicht mit
hohen Wangenknochen und dicken schwarzen Augenbrauen, Schnurrbart, weißes Haar mit Bürstenschnitt, er
unterrichtet Geografie. Er stammt aus Siebenbürgen und
tut keiner Fliege was zuleide, allerdings neigt er zu stereo-
typen Äußerungen: »Gutt geschlaffen?«, wenn einer eine
Frage nicht gehört hat, und: »ein schönner Jun-ge!«, wenn
die richtige Antwort kommt.

Nächste Stunde: Musik. Schule ist etwas Grauenhaftes!
Wie viel schöner wäre Lernen, wenn man pro Vormittag
nicht an vier oder fünf Fachgebieten würgen müsste wie
eine Stopfgans. Willys innere Uhr läuft anders: Er interessiert sich pro Tag nur für ein einziges Fach, meistens das
der ersten Stunde, alle anderen verschläft er souverän.

Den Musiklehrer, daran erinnere ich mich deutlich,
behielt ich auch bei großer Müdigkeit angstvoll im Auge,
denn er war streng. Er wurde »der Niedergang« genannt,
weil er die Musik seit Bach nur noch im Abstieg sah. Ein
dürrer Asket mit österreichischen Wurzeln, sehr fromm,
und er hielt sich für eine der letzten Stützen der Musikkul-
tur. Er fühlte sich berechtigt, Schüler zu demütigen, wenn
sie keine Begeisterung für klassische Streichquartette ent-
falteten. Brahms war für ihn zu artifiziell, Béla Bartók
eine tragische Figur, Strawinsky geisteskrank, Elvis Presley unartikulierter Lärm. Vielleicht bewunderte er insgeheim Maria Callas, kriegte aber Sodbrennen von Caterina
Valente und Hautausschlag von Conny Froboess. Statt
Jazz sagte er »Jatz« wie Platz oder Katz, es war für ihn
Negermusik. Auch Werner Egk und Carl Orff gab es für
ihn nur als Exempel für Degeneration. An der Schule lehrte

noch ein anderer, liebenswürdigerer Musiker, Anton Kagerer, aber den hatte ich nur einmal für ein paar Wochen, vertretungsweise. Schade, denn ohne Niedergang und mit Kagerer wäre ich vielleicht – dachte ich damals – Musiker geworden.

Meine negative Erinnerung wird zunächst bestätigt. Niedergang betreibt die Grammatik der Musik wie ein Feldwebel das Exerzieren, vergibt sogar das Aufmalen von Kadenzen als Strafarbeit, und wehe, wenn nicht alle Noten-Eier schön gleichmäßig gerundet sind, dann gibt es im Wiederholungsfall einen Verweis – das ist ein Papier mit Stempel, das Vater oder Mutter unterschreiben müssen.

Wer nicht singen kann wie ein Engel, erntet vom Niedergang gutmütigen Spott, welcher aber beim empfindlichen Willy wie eine Hasstirade ankommt. Und Willy kann nun einmal tatsächlich nicht besonders singen, vor allem nicht im Zusammenklang mit anderen. Er summt zwar gern Melodien nach, wenn er allein ist, vom Gassenhauer bis zu den *Carmina Burana*, aber er hört im Grunde ungern zu, wenn andere, statt zu sprechen, langgezogene Töne von sich geben. Ich konnte damals auch Filme nicht leiden, in denen ein liebendes Mannsbild sich ohne Vorwarnung per Lied ausdrückte, sodass die Geliebte minutenlang dasitzen und ihn mit immer mehr gefrierendem Lächeln anhimmeln musste. Ich empfand Gesang als pure Kommunikationsverweigerung. Inzwischen habe ich meinen Frieden mit ihm gemacht, finde sogar, dass Menschen beim Singen schön aussehen. (Noch schöner sind sie beim Denken, etwa während sie einen Irrtum einsehen. Am schönsten aber, wenn sie ein Geständnis ablegen.)

Was Willy beim Singen in der Schule hören lässt, ist nicht überzeugend. Schon in einem simplen Kanon bringt ihn das, was der Nachbar singt, zuverlässig aus der Spur. Dann kommt vom Lehrer eine Bemerkung wie: »Natürlich Weitling, die musikalische Rührschüssel! Halten Sie doch einfach mal den Ton! Hören Sie denn nicht, was Sie da zusammensingen?« Dann fühlt Willy sich verkannt, er kann doch sehr gut singen, bloß nicht mit anderen, und schon gar nicht die zweite Stimme. Ich, der Alte, höre mir das an und frage mich, wie ich bei mir je eine musikalische Begabung vermuten konnte.

Dass in Österreich ein Weitling tatsächlich eine Rührschüssel ist, habe ich erst viel später erfahren. Und heute, als zuhörender Geist aus der Zukunft, erfahre ich noch etwas: Dieser Niedergang war ein sehr geeigneter Lehrer für musikalisch Begabte. Ein Schrecken war er nur für die, die sich überschätzten.

Die Stunde ist zu Ende, leider war es erst die vorletzte. Denn jetzt steht noch der Dekan bevor. Religion kommt, wenn sie überhaupt kommt, gegen Schluss, wenn man kaum mehr denken kann. Das macht nichts, weil sie kein Versetzungsfach ist, außerdem bekommt hier auch der Unwilligste mindestens eine Zwei. Schließlich kann man niemandem eine schlechte Note wegen fortgesetzten Unglaubens geben, es fiele ja auf die Kirche zurück. Andere Möglichkeit: Gott ist bei Schulnoten gnädig, wenn er selbst Unterrichtsgegenstand ist, er will sich nicht Eitelkeit vorwerfen lassen.

Dekan Klein ist ein eisgrauer Endfünfziger, betont wohlwollend, von langsamer Redeweise, aber er weiß viel, und Witze machen kann er auch ganz gut. Gegen den Dekan hat der Junge gar nichts, allerdings viel gegen das Christentum.

Ich habe die Konfirmation abgelehnt, weil ich, wie ich sicher zu wissen meinte, nicht an Gott glaubte: »Ich werde doch wissen, woran ich nicht glaube!« Aber Willy weiß nicht alles: Dass er etwa ab fünfzig sonntags beinahe regelmäßig zur Kirche gehen wird – auf diese Idee käme er nicht im Traum. Dabei erinnere ich mich, dass es ebendieser Unglaube war, der mich über Gott mehr nachdenken ließ als andere. Ich wollte all diesen ahnungslosen Nachbetern von Vorgebetetem beweisen, dass es ihn gar nicht geben könne, dass er nur eine Behauptung sei, nützlich für Pfaffen und für Machthaber, die das Volk gefügig halten wollten.

»Gott«, wer sollte das sein? Er zeigte sich ja nicht. Sollte er sich in Jesus Christus gezeigt haben, so war dies lange her. Er tat offensichtlich nichts, um grauenhafte Taten zu verhindern, belohnte zu selten oder zu wenig sichtbar die Gutmütigen, zu schweigen vom Bestrafen der Bösartigen. Dabei galt er doch als mächtig, allwissend und alles sehend. Ich muss aber anmerken: Im Grunde stellte ich mir ganz gerne jemanden vor, der mir, selbst unsichtbar, zuschaute. Es konnte auch einer meiner Vorfahren oder ein Marsmensch sein, Hauptsache, er bewunderte mich, wenn ich mich brav, flink oder gescheit verhielt. Der Mensch hat die Fähigkeit, sich in einem erfundenen Wesen zu spiegeln, sogar mit ihm zu reden.

In einem Film überlebt Tom Hanks einen Flugzeugabsturz und ist für Jahre allein auf einer Insel im Pazifik, allein mit einem Volleyball. Er malt ihm mit Blut aus einer Wunde ein Gesicht, nennt ihn Wilson und spricht mit ihm wie mit einem verständigen Beobachter. Er ist verzweifelt und fühlt sich gottverlassen, als Wilson vom Wind erfasst und aufs Meer getrieben wird.

Mit sechzehn hätte ich über den Film gelächelt, vielleicht sogar diesen neuen Robinson einen Dummkopf genannt. Wenn es Gott tatsächlich seit Entstehung der Welt gab, zum Beispiel weil er selbst ihr Schöpfer war (darüber ließ ich damals immerhin mit mir reden), warum hatte er in all den Jahren so wenig gelernt? Tiere und Pflanzen mochten ihm gelungen sein, aber er hatte doch Tausende von

Jahren studieren können, dass die Menschen sich ungut entwickelten. Hätte er da nicht ein wenig steuern können? Nein, er lehnte sich zurück, fand, dass auch die Menschen in Ordnung waren, und ließ sich von seinen Verteidigern bestätigen, diese hier sei die beste aller möglichen Welten.

Mal hielt ich Gott also für nicht existent, mal für ausgesprochen untätig, sprich faul. Heute betrachte ich meinen etwas wackligen Atheismus von damals wie ein Jugendrichter: mit Milde.

Willy ist jetzt so fürchterlich müde, dass er den Kopf in die Hände stützt, vor sich hin döst und keine seiner aufsässigen Fragen stellt. Der Dekan weiß gar nicht, wie viel Glück er hat.

Ich war noch als Student der Überzeugung, man sage »Jenseits« oder »Gott« nur, um nicht »unbekannt« oder »nichts« sagen zu müssen. Und wurde unwirsch, wenn jemand meinte, mit mir über Gott reden zu müssen. Als Mann mittleren Alters bekannte ich mich offen als ungläubig und griff zu Büchern, die mich darin bestärkten. Nur das Beten hielt ich für »möglicherweise nützlich«, nannte es Nachdenken, Besinnung oder Meditation. Aber die Hände zu falten und sich an einen älteren Herrn namens Gott zu wenden, der unsichtbar im Raum anwesend sein sollte, fand ich abwegig. Als Richter faltete ich die Hände nur, um mir das Notieren abzugewöhnen und besser zuzuhören. Anders wurde es erst nach dem Autounfall, bei dem ich nur knapp dem Tod entging.

Es klingelt, die Stunde ist zu Ende und damit die Schule für heute. Der Dekan will noch etwas sagen, hebt Hand und Augenbrauen, von wegen, man rennt grußlos an ihm vorbei, raus hier, weg weg, in die Freiheit so schnell wie möglich.

Etwas Leben kommt sogar wieder in den müden Willy. Mit schwerer Tasche und indianischer Gelassenheit schlendert er zum Bahnhof, raucht auf dem Weg eine Zigarette, dann beim Bus eine weitere. Die ihm angebotene HB mag er aber nicht, er sagt, aus Zigarettenfiltern lösten sich Glasfäserchen, die die Lungenbläschen durchstächen. Das hat er irgendwo gehört. Was Lungenbläschen sind und was sie sollen, weiß Willy nicht, er verschläft ja die Biologie. Zu Hause ist ihm von Mutter das Rauchen verboten worden. Ein Kettenraucher in der Familie genüge ihr, und man lebe ja hier nicht in einem Schloss mit hallenartigen Räumen. Bleibt für Zigaretten also nur der Schulweg.

Ja, rauch nur, du Mörder! Es sind ja nur meine Gefäße, die eines Tages dem Arzt Sorgen machen werden. Hunze ruhig herum mit einem Körper, den später ein Mensch mit Verantwortung dringend brauchen wird, um sein Amt auszuüben! Tu dir keinen Zwang an, Bruder Lustig! Du hältst kritiklos für wahr, was alle behaupten: Rauchen erhöhe den Lebensgenuss, schärfe das Nachdenken von Kriminalkommissaren und mache den Mann männlicher. So viel zur Schärfe deines Verstandes, du Skeptiker, Atheist, Schafskopf und Herdentier! So, und jetzt machst du den Glimmstengel aus und steigst ein! Oha, ganz vergessen: Man darf sogar im Schulbus qualmen, alle tun es. Na toll. Ein schwelendes Matratzenlager dürfte nicht schlimmer stinken als ihr künftigen Hedonisten und 68er beim Einüben eures Jahrhundertqualms! Nur gut, dass ich ohne Nase bin.

Nein, Willy, du gefällst mir nicht. Jetzt, da ich dich ohne die Vergoldung des Zurückdenkens genauer betrachten kann, weiß ich, dass sich in dir eine Katastrophe ankündigt, und sie könnte sogar stattfinden – anders, als ich mein Leben seit Chiemseesturm und Lateinarbeit im Gedächtnis habe!

Hier ist, woran ich mich erinnere: Ein junger Mann, Sohn eines berühmten Vaters, leistet gegen dessen Willen seinen Wehrdienst, studiert dann Jura, hat nach Orientierungsschwierigkeiten beträchtliches Glück mit der Wahl seiner Frau, wird Richter, fällt durch kluge Urteile auf (na ja, einige), geht zufrieden in Pension, bastelt an einer Bootshütte und einem Buch über das richtige Leben.

Aber wenn Willy sich diesmal anders entwickelt – keine Narbe an der Hand, der Charakter immer gefährlicher und gefährdeter, die Freunde ganz anders und immer schlimmer, dazu ein entsetzliches Weib oder deren mehrere –, dann könnte die schlummernde Katastrophe losbrechen. Raus hier, weg, bevor das alles Gestalt annimmt. Zurück in mein älteres, alterndes Leben, bevor ich es nicht mehr wiedererkennen kann!

Zwölf Uhr. Vielleicht endet mein Zwangsaufenthalt in der Jugend mit einem Glockenschlag? Oder, auch denkbar, genau vierundzwanzig Stunden nach seinem Beginn? Das wäre gegen Abend. Hoffentlich reicht das noch.

Fünftes Kapitel

Nachmittag

Das hier ist Jugendarrest in einer neuen Bedeutung des Wortes. Ich schaue durch die Scheiben des Schüleranhängers und denke mir: Nett, alles wieder zu sehen, aber wie lange soll das dauern? Ich bin in meiner Jugend eingesperrt. Wo ist der Ausgang, wo ist die Taste »ESC« für Escape? Ich lebe jetzt wie eine Figur in einem Film, unfähig, mich aus ihm davonzumachen, und kann doch zur Handlung nichts beitragen.

Es gab ein Computerspiel, *Myst* mit Namen. Da zeigte sich eine Landschaft mit Gebäuden, die man nach einem Mausklick auf die Türklinke betrat, Interieurs, die man erforschen konnte. Wenn man auf die richtigen Stellen klickte, fingen Geräte an zu laufen, Zahlen wurden sichtbar, die man wieder an einer anderen Stelle eingeben musste, damit man weiterkam. Im Grunde eine einzige große Gefängnisgeschichte, und am Ende gab es drei Lösungen, zwei fatale (man bleibt gefangen, diesmal aber in ewiger Isolierhaft) und eine leicht langweilige: »Glückwunsch, alles überstanden, jetzt kannst du in die Bibliothek gehen und Bücher lesen.« Was sicher besser war als nichts, aber es gab keine guten Bücher dort.

Mit welcher Maus könnte ich hier klicken, und wohin? Es muss einen Trick geben. Ihn finde ich vermutlich nur, wenn ich exakt sagen kann, was mir passiert ist. Habe ich mir diese Zuschauerrolle bei der eigenen Jugend irgendwie gewünscht, habe ich sie fahrlässig herbeigeführt wie der Fischer, der zu sehr auf seine unglückselige Ilsebill hört? Ich kann mich nicht erinnern, in letzter Zeit einen Speisefisch mit »Mantje mantje timpe te« angeredet zu haben.

Warum wurde ich ausgerechnet in diesen Tag zurückversetzt, keinen anderen? Hätte es nicht der sein können, an dem ich Astrid kennenlernte? Oder einer im schönsten Teil meiner Kindheit, oder meinetwegen auch im Kinderheim-Exil zu Schlederloh? Da hätte ich wenigstens die Quelle meines Urmisstrauens studieren können.

Werde ich vielleicht für etwas bestraft? Für dumme Wünsche, falsche Reden, schlimme Taten? Ist es eine Strafe für meine Amtsführung als Richter? Aber ich war doch gar kein schlechter Richter. Kleine Schwächen, große Stärken, vermute ich. Nein, daran kann es nicht liegen. Ist es, weil ich einen bestimmten Fehler ein zweites Mal machte, ein zweites Mal in fünfzig Jahren?

Wenn das hier nun immer weitergeht, dann ist wahrscheinlich mein Leben, mein eigenes, mir vertrautes Leben längst beendet, meine Zukunft existiert nicht mehr, sie kam nur bis gestern. Wenn das zuträfe, was wäre der schmerzlichste Verlust?

Wohl nur Astrid. Darüber hinaus ist die Zukunft eines alten Mannes doch eher bemessen. Was wäre noch zu erledigen? Dank wäre abzustatten an einige Menschen meines Lebens, vielleicht sogar mithilfe eines Buchs. Oder wenigstens durch ein paar Anrufe bei alten Freunden, die ich vernachlässigt und verschlampt habe, weil die Erfordernisse des Tages mir zu wichtig schienen – weil ich meine Sache immer besonders gut machen wollte und deshalb mein Leben besonders schlecht lebte.

Wenn so etwas wirklich mit Wiederholung geahndet würde, so wie bei schlechten Schülern mit dem Sitzenbleiben, dann müsste es in der Welt ziemlich oft der Fall sein. In seiner verrückten *Nemesis divina* ist Linné auf diese Strafe gar nicht gekommen. Und sie besteht zweifellos nicht in einer genauen Wiederholung, sondern darin, dass das Leben diesmal die schlimmstmögliche Wendung nimmt. Lässt sich das durch Reue aufhalten? Ich fühle mich aber nicht bußfertig, wofür denn?

Willy sitzt auf der Rückbank des Schülervehikels, so kann er das Mädchen beobachten, in das er verliebt ist, eine zierliche Schwarzhaarige mit weißer Haut, ein Schneewittchen. Ja, es ist jene Nachfolgerin von Rainer. Das alles sagt mir jetzt nur die Erinnerung, denn an seinem Verhalten ließe sich nichts erkennen. Er schaut ab und zu auf ihren Nacken, aber so beiläufig, als wolle er sich selbst glauben machen, sie wäre ihm gleichgültig. Blickt sie zur Seite aus dem Fenster, saugt sich sein Blick an ihrem Profil fest. Einmal dreht sie sich um, wahrscheinlich hat sie den Blick gespürt. Blitzartig senkt Willy die Augen und liest sein Donald-Duck-Heft so angestrengt, als handle es sich um den neuen Jaspers. Kaum schaut das Mädchen wieder nach vorn, ist es Willy, der aus dem Fenster sieht: Worauf könnte ihr Blick geruht haben?

In einiger Entfernung, zwischen Kraimoos und Schmidham, sehe ich einen Baum am Feldweg, unter dem ein überdachtes Heiligenbild steht. Den Sockel dazu bildet ein römischer Meilenstein, der in meinen älteren Tagen völlig verwittert sein wird. 1958 waren die Buchstaben darauf noch klar zu lesen, und er trug auch noch kein frommes Bild. Ich habe einmal versucht, den Namen des römischen Statthalters zu entziffern und abzuschreiben, es gelang einigermaßen. Warum habe ich es nicht zu meiner Sache gemacht, den Stein zu retten (auch vor christlicher Zweckentfremdung)? Schüler retten oft etwas, weil sie neugierig und noch nicht müde genug sind, um alles verwittern und verlottern zu lassen. Ich tat gar nichts: Willy ist interessiert, aber passiv, und er wird es bleiben.

Jetzt biegt der Bus von der alten Römerstraße ab nach Chieming, an der Kreuzung von Laimgrub. Ich kenne einige Höfe dort. Da ist einer, dessen jeweiliger Besitzer das Recht und die Pflicht hat, zusammen mit drei anderen bei der Fronleichnamsprozession den »Himmel« über dem Pfarrer und der Monstranz zu tragen, einen Himmel, der vor Regen schützt.

Der Bus hält in Chieming dreimal: Beim Oberwirt, da steigen fast alle Mädchen aus, also auch die Geliebte, die von ihrem Glück nichts ahnt. Beim Unterwirt steigen die meisten Buben aus. Es ist schon merkwürdig: Die wichtigsten Mädchen wohnen in der Nähe der Kirche, die wichtigsten Halbstarken näher am See, darunter auch der neue Klassenkamerad aus Krefeld, an den Willy sich erst gewöhnen muss – der Knabe ist zielstrebig. Auf dem Parkplatz am Landungssteg verlässt auch Willy den Anhänger, jetzt sitzen in ihm nur noch Schüler aus Seebruck und Seeon, Dörfern nördlich von Chieming.

Willy geht gewohnheitsgemäß nicht auf der Straße am Pfarrhof vorbei, sondern klettert trotz seiner Knochenschmerzen in der Lattentür der Schnupftabaksmühle über den Krebsbach. Warum normale Wege gehen, wenn es gefahrvolle gibt? Sechzehnjährige brauchen täglich einen Hauch von Wildnis.

Aus Versehen geht Willy nun doch am See entlang, zwischen Wegmacherhaus und Bootshütten durch, und begegnet dabei Franz, dem er eigentlich nicht unter die Augen treten wollte. Der fragt ihn ganz freundlich: »Geht's wieder?« Dann stehen sie neben der beschädigten Plätte. Den Schwertkasten hat es zur Hälfte abgerissen, das Ruder und ein Riemen fehlen noch, außerdem die Bodenroste. Mast und Segel hat es beim Dampfersteg angetrieben.

»Mein Vater hat gesagt, er kommt für den Schaden auf.«

»Der hat doch selber nichts! Der Schriftsteller«, antwortet Franz.

In Willy nagt es. Verächtliche Reden über seinen Vater treffen ihn ärger, als wenn Franz ihn selbst zusammenstauchen würde.

»Das Geld haben wir«, sagt er patzig, »und wenn ich nächste Woche noch mal umschmeiße, dann haben wir es wieder!«

Franz schaut durchs Glas auf den See und antwortet halblaut: »Nein, dafür brauchst du nicht mehr zu kommen!«

Willy versteht: Das war's, kein Segeln mehr, die Geschäftsbeziehung ist beendet. Weh tut es beiden, aber so ist das mit einem Mann, der nur Enttäuschungen erlebt hat. Dass Franz wegen seines verkrüppelten Beines nicht in den Krieg musste, hat er nie als Glück empfunden. Obwohl von seinen vier Brüdern nur einer zurückkam, Max. Der hatte wohl viel gesehen und schwieg es in sich hinein. Immerhin fand er eine tüchtige Frau, hatte Kinder. Von Franz hingegen wollte nach seinem Unfall keine mehr etwas wissen. Er wurde bitter und hart, erwartete von niemandem Großzügigkeit und hatte für niemanden welche übrig. Möglich, dass Willy den schwer pessimistischen Mann zeitweilig belustigt, sogar erwärmt hat. Vorbei.

Er geht am See entlang weiter, ihm ist traurig ums Herz, und die Knochen und Muskeln schmerzen noch ärger. Eine Art von Freundschaft ist es ja doch gewesen, aber Freundschaften scheitern an Geldfragen, nahezu immer. Willy hat etwas gelernt.

Im Krautacker der Wegmacherfamilie sieht er die erste und lange Zeit einzige Spielgefährtin seiner Kindheit, die Nichte von Franz. Sie kauert im Gemüsebeet und jätet.

Jetzt blickt sie auf und sagt: »Jesus, wie schaust du denn aus!«

»Das Schiff auch«, antwortet Willy.

»Aber passiert ist nichts, das ist die Hauptsache.«

Will sie damit ausdrücken: »Sei nicht traurig, der Franz ist, wie er ist.« Nein, sie meint sicher mehr die Rettung von Willys Leben. Aber diese berührt ihn im Moment wenig – dem Tod zu entkommen hält man mit sechzehn für eine Selbstverständlichkeit.

Willy geht weiter, sagt noch: »Ich muss schauen, ob es noch was angetrieben hat von der Plätte …«

Er geht im Uferkies weiter, sieht aber nichts. Ich weiß noch, dass Einzelteile im Strandbad und weit hinter dem Segelhafen angeschwemmt wurden, aber wie sage ich ihm das?

Als der Junge endlich im Schilf des Traumlebenzipfs ist, hört er von oben, vom Haus her, das Rattern der Heckenschere. Das beruhigt Willy. Sie sitzen also noch nicht am Mittagstisch und fragen sich, wo er bleibt. Er geht zu Vater, der auf dem an die Hecke gestellten Verandatisch steht und Willys Kommen nicht bemerkt hat.

Von Hansjörg Weitling sagen die Stötthamer Bauern, er sei ein mühsamer Mensch, was anerkennend gemeint ist. Mühsam ist im Bairischen nicht einer, mit dem man Mühe hat, sondern einer, der sich Mühe gibt, ein Arbeitsamer. Vater verbessert ständig etwas am Haus und pflegt die Wege, auch die Birkenallee, oder er klettert auf hohe Bäume und sichert deren Kronen mit Seilen gegen die Gewalt der Stürme. Was er sonst noch tut, bleibt den Bauern nebelhaft. Schriftsteller, das ist einer, der sich was denkt und es aufschreibt. Dass das nicht viel einbringt, sehen sie an dem rostigen Volkswagen mit der geteilten Heckscheibe. Der Mann hat nichts außer dem sturmzerzausten Haus und der hübschen Frau, und sie scheinen »gut zu hausen« – bairisch für: sie vertragen sich. Jeden Tag gehen sie den weiten Weg zur Post nach Chieming, sogar bei Regen, und auf dem Rückweg lesen sie sich gegenseitig Briefe vor.

Jetzt bemerkt der Vater seinen Sohn. Ich weiß, was er sagen wird: »Wie war deine Lateinschützen?« Ich weiß es deshalb noch, weil das ein bairischer Ausdruck ist, Vater nannte das sonst hochdeutsch eine Klassenarbeit. Seine Versuche, bairische Redewendungen zu übernehmen, waren meist eher rührend. Nun schaltet er die Maschine aus, steigt vom Tisch und fragt: »Und, wie war die Lateinschützen?«

»Ich glaub, ganz gut.«

Vom Haus her ist die Mutter zu hören: »Kinder, Essen ist fertig. Zwetschgenknödel!«

»Hände waschen«, sagt Vater, sie eilen ins Bad. »Gleich kommen die Nachrichten!«

Am Tisch sitzt schon der Großvater mit teilnahmslosem Gesicht, auf Willys Gruß gibt er aber einen zustimmenden Laut von sich. Er versucht, sich die Serviette am Kragen festzustecken, Mutter hilft ihm.

Die Knödel dampfen, das Radio tönt, allerdings noch mit Werbefunk: »De Semmelbrösel vom Leimer, bei dene Brösel, da bleimer.« Es wurde in der Werbung viel gereimt damals, Reime machten den Konsumenten williger: »Dein Herz wird froh, dein Kopf bleibt klar, weil es ein Schinkenhäger war.«

Großvater scheint die Semmelbröselwerbung verstanden zu haben, er schmunzelt und reibt sich die Nase.

Die Nachrichten beginnen mit dem verschlechterten Gesundheitszustand von Papst Pius XII., berichten danach von einem Pontifikalamt in München: »Der Erzbischof führte wörtlich aus …« Erst danach kommen de Gaulles Fünfte Republik, die gefährliche Verstimmung zwischen Eisenhower und Chruschtschow und die Eröffnung einer Gedenkstätte in Buchenwald. Vor dem Wetterbericht noch die Meldung, in Deutschland habe sich der Mineralölverbrauch im ersten Halbjahr 1958 gegenüber dem gleichen Zeitraum im Vorjahr um dreißig Prozent erhöht. Weiterhin Regen, im Voralpenland gelegentlich Aufhellungen unter Föhneinfluss.

Während Willy sich den Teller mit Knödeln volllädt, betrachte ich mir die Möbel. Da sind sie wieder, alle. Der hohe Bücherschrank mit der Truhe. Im Schrank steht Meyers Konversationslexikon von 1904, das später in die Diele umziehen wird. In der Truhe waren in meiner Kindheit die Schnäpse zu finden, die Großvater aus allerlei Obstsäften destillierte. Oben auf dem Schrank legte meine Mutter ihre Brotration ab – jeder in der Familie hatte für sein Brot einen anderen Ort, und jeder ritzte den ersten Buchstaben seines Vornamens hinein und aß das Herausgeschnittene sofort auf. Mutter hatte es mit dem »D« von »Desirée« nicht leicht: Die von diesem Buchstaben umschlossene Brotinsel fiel heraus, wenn das Brot schon älter war.

»Du hast gestern wieder das Licht angelassen«, mahnt Vater, »hör mal, Strom ist teuer, außerdem sind eingeschaltete Geräte im Prinzip immer gefährlich, denk bitte dran! Wir leben in einem Holzhaus.«

Willy nickt ernst, aber er lässt sich den Appetit nicht verderben, Zwetschgenknödel sind sein Lieblingsessen. Er führt die Gabel konsequent mit der linken Hand, nutzt jede Sekunde zur Gehirnentwicklung.

Vater meint, das Radio klirre, aber da könne man schwer etwas machen. »Wir müssen mal für ein wirklich gutes Radio sparen, gleich mit Plattenspieler.«

»Sparen wovon?«, fragt Mutter, sie dreht die Augen zur Decke.

»Ein besseres Auto wäre eigentlich noch schöner!«, fährt Willy fort. »Zum Beispiel ein Lloyd Alexander.«

»Rund viertausend Mark«, sagt Vater.

»Oder eine Renault Dauphine, die schafft 115 Stundenkilometer.«

»Über fünftausend«, sagt Vater.

»Wovon?«, wiederholt Mutter und fährt mit der Serviette über Mund und Revers von Großvater, der etwas erstaunt dreinschaut.

Willy wird übermütig. »Oder eine Borgward Isabella wie der Windisch!«

»Achttausend«, sagt Vater. »Dazu müsste der Roman ein Bestseller werden.«

»Und ein Kredit?«

»Den kriegen freie Schriftsteller nicht. Höchstens wenn sie ihn nicht brauchen.«

Mutter sagt: »Der Fernseher war teuer genug. Und jetzt müssen wir zusehen, dass wir dem Wegmacher den Schaden zahlen.«

Willy versucht herauszuhören, was die Eltern über seine Beteiligung an dem Schaden beschlossen haben. Ihr Dialog unter vier Augen ist das Gehirn des Hauses. In dieser Sache werden aber noch keine Erkenntnisse bekannt gegeben.

»Ich verkaufe meine Schreibmaschine«, verkündet Willy. Er spricht von einer gebraucht gekauften Princess. In dieser zierlichen, ja anmutigen Maschine steckt das Geld drin, das er durch Segeln verdient hat. Aber vielleicht sucht ein besonders reicher Bauer dringend eine Princess – wenn man da richtig verhandelt …

»Du lernst weiter dein Zehnfingersystem!«, sagt Vater. »Später kannst du es gut gebrauchen.«

»Später habe ich eine Sekretärin«, antwortet Willy. Er will Bankdirektor werden, damit Vater endlich nur das schreiben kann, was er sich denkt, also keine Auftragsarbeiten für irgendwelche Firmen, sondern Romane, wie er sie will – ganz ohne Rücksicht auf den Markt, der immer nur blöde Liebesgeschichten will. Willy möchte sich bei seinen Eltern beliebt machen, und sein Plan steht fest: Er wird so reich, dass sein Vater unverständliche Geschichten schreiben und trotzdem mit einer Isabella an den Gardasee fahren kann. Mit Mutter, versteht sich.

»Ich zum Beispiel werde mir nie ein Auto kaufen«, sagt Willy, »höchstens ein Segelboot. Einen Schärenkreuzer.«

Gut, dass die Tafel aufgehoben wird. Gäbe es jetzt noch eine Nachspeise, Willy würde bei Millionenausgaben landen, einer Luxusyacht auf dem Mittelmeer oder einer Villa in Saint-Tropez. Selbst Onassis müsste zu rechnen anfangen.

Vater raucht, Mutter sagt: »Willy, jetzt ruhst du dich mal richtig aus. Ab in die Heia!«

»Heia!«, sagt Großvater. »Vielleicht bekomme ich dann Besuch.«

Vater fragt: »Hm? Nein, es kommt niemand. Alles in Ordnung!« Einen Moment lang herrscht verlegenes Schweigen.

Im Hause Weitling legen sich alle nach dem Essen für eine Stunde schlafen, aus der dann zwei werden, jedenfalls bei Vater, weil der nachts schreibt.

Als Willy fest eingeschlafen ist, kann ich mich wieder von ihm lösen und etwas weiter weg schweben. Ich stelle fest, dass ich mich auch durch sehr kleine Öffnungen stehlen kann, ein Schlüsselloch genügt. Ich wehe langsam durchs Haus und habe nur etwas Angst vor dem Schrecken, sollte der Junge wieder aufwachen und ich schlagartig zu ihm zurückgezogen werden. Sehr genau sehe ich mir die türkische Standuhr in der Diele an, die 1982 verkauft wurde, weil Vater sie nicht ins Altersheim mitnehmen konnte. Und ich lese mit Wiedersehensfreude, was hinter den Glastüren des Esszimmerschranks auf den Bänden von Meyers Konversationslexikon steht: »Glashütte bis Hautflügler«, »Ionier bis Kimono«. Ich erkenne in der Vitrine die kleine Tänzerin aus Bronze. Wo das im nächsten Jahrhundert wohl alles sein mag? Mindestens für Friedenszeiten gilt die Regel: Was weg ist, ist nicht verloren, es freuen sich nur jetzt andere daran.

Ich ahne, dass Willy nicht allzu lange schlafen wird, verfüge mich daher durch die geschlossene Tür zu ihm zurück – mühelos. Vielleicht kann ich ja sogar durch noch feinere Ritzen schlüpfen, ich werde es nachts versuchen, falls ich dann immer noch in meiner Jugend feststecken sollte.

Nein, er schläft noch. Ich studiere in Ruhe sein Zimmer und lese die aufgeschlagenen zwei Seiten in seiner derzeitigen Bettlektüre: *Der Leopard* von Giuseppe Tomasi di Lampedusa. Wenn er die Geduld hätte, das Werk von Anfang bis Ende zu lesen, stiege er in meiner Achtung. Aber vermutlich hat er es nur deshalb in die Hand genommen, um besser einschlafen zu können. Jedenfalls weiß ich nicht, wovon es handelt. Und Lampedusa ist heute zuallererst der Name jener italienischen Insel nahe Afrika.

Willy beginnt mancherlei Lektüre, um sie dann liegen zu lassen. Ich habe das im Alter beibehalten, und bis heute sehe ich nicht ein, warum Romane lang sein müssen. Auf dem Fensterbrett liegt, aufgeschlagen und aufs Gesicht gedreht, *Die Dämonen* von Dostojewski. Daran erinnere ich mich wenigstens, eine Geschichte von Vorrevolutionären, die sich in Kaltherzigkeit üben, und einem gewissen Stawrogin, der an sich selbst zugrunde geht.

Willy wacht auf, liegt eine Weile still, nimmt ein Taschentuch und beginnt an sich herumzuspielen. So genau wollte ich es gar nicht wissen. Da wäre ich doch lieber weiter auf meinem Rundflug durchs Haus. Jetzt nimmt er noch ein zweites Taschentuch hinzu, was sicher nicht falsch ist. Übrigens arbeitet er mit der rechten, nicht mit der linken Hand, lässt also bei diesem Tun die Entwicklung der rechten Gehirnhälfte völlig außer Acht.

Ich wüsste gern, welche Phantasien ihn im Moment treiben, aber in seinen Kopf kann ich ja nicht hineinsehen. Er könnte Bilder vor Augen haben, wie sie in der *Gondel* zu sehen sind – ich weiß, dass ich eines dieser Hefte jahrelang immer wieder durchgeblättert habe. Die Damen waren üppig, aber bekleidet, heute würde man nicht lange hingucken.

Nein, im Moment dürfte es bei Willy nur die schiere Freude darüber sein, dass da etwas an ihm der Schwerkraft trotzt, unverdrossen und immer wieder. Eine staunenswerte, in dieser Größe sicherlich einzigartige Erscheinung und bei richtiger Handhabung mit Lust verbunden.

Willy findet dieses Potenzial schon als solches erregend, obwohl er sich damit noch nichts zu wollen traut: Die Anwendung, jedenfalls die biologisch vorgesehene und wirkungsvolle, liegt ihm fern, und das ist gut so. Auf keinen Fall wird er ein Mädchen, das er liebt, mit Angeboten dieser Art behelligen! Einen Kuss würde er vielleicht riskieren – aber nein, den auch nicht. Auf keinen Fall zudringlich wirken und sich damit alle Chancen verbauen! Da ist es doch besser, die Schöne aus jenem brennenden Haus zu retten. Es hat längst feste Gestalt angenommen, Willy kennt jede Treppe, jeden Balkon, weiß, wo Seile, Wasser und Eimer zu finden sind. Nach der Heldentat braucht er nur noch abzuwarten, dann kommt der Kuss von allein.

Die Vergnügungen mit sich selbst notiert Willy schon seit gut drei Jahren in seinen Taschenkalendern. Er trägt für jedes Mal ein kleines O ein (oder eine Null?). Er hat mit dreizehn gehört, ein Mann könne im Leben nur rund sechstausend Mal. Das hat er schon damals nicht so recht geglaubt – die Meldung kam von einem verdächtig frommen Mitschüler. Aber ganz sicher war er sich nicht. Auf keinen Fall wollte er später im Leben, beispielsweise in der Hochzeitsnacht, wegen aufgebrauchter Vorräte dumm dastehen. Willy weiß inzwischen, dass das nur ein Gerücht war, aber die Buchführung im Kalender hat er beibehalten.

Jetzt steigt er aufs Rad, um wieder das Ufer nach dem Zubehör der Plätte abzusuchen. Als Erstes geht er zur Aussichtsbank am höchsten Punkt des Uferwegs. Weit und breit nichts. Ihm fällt endlich ein, dass da ja gar nichts sein kann: Der Sturm kam aus Nordwest, also kann nur in Chieming oder noch südlicher etwas angeschwemmt worden sein, vielleicht beim Gründeltal.

Inzwischen betrachtet Willy von oben die Bootshütte im Indianergebiet des Traumlebenzipfs. Mich würde interessieren, ob die Hüttentür offen steht. Skurriler Einfall, denn wieso sollte sie das? Die Überlegung ist abwegig, und ich werde Willy sowieso nicht auf die Idee bringen können nachzusehen. Kann ich ihn überhaupt irgendwie beeinflussen, sein Gehör erreichen, mit ihm sprechen? Ich versuche es. Dass ich keine Stimme habe, weiß ich. Aber vielleicht kann die Heftigkeit eines Wunsches auch ohne Schallwellen bis zu Willys Gehirn vordringen? Nein, keine Reaktion. Wie auch? Er weiß nichts von einer offenen Tür, und die Hütte geht ihn nichts an – sie gehört fremden Leuten mit grellfarbenen Liegestühlen und Gummitieren – mitten im Schilfgürtel des Großen Bärensees.

Willy fährt am Ufer entlang bis zum Fischer – kein Ruder, kein Riemen, kein Lattenrost ist zu sehen. Ich, der Geist, weiß sehr genau, wo damals das Steuerruder gefunden worden ist. Es muss doch einen Weg geben, das Willy mitzuteilen! Ich denke so intensiv wie möglich Strandbad, Strandbad, male mir das Bild aus, wie das Ruder dort im

Ufersand liegt, noch von niemandem bemerkt – aber Willy erreiche ich damit nicht. Nun kann man einen Satz nicht nur denken, sondern auch mit Zunge und Zähnen formen, ohne dass ein Laut herauskommt. Ohne Körper wird das nicht viel, aber ich versuche es trotzdem, aus der Erinnerung heraus. Vergebens, auch das überdeutlich artikulierte Strandbad kommt nicht an.

Auf dem Dampfersteg trifft er einen zwei Jahre älteren Freund, Besitzer einer alten geklinkerten Jolle namens Aida. Sie beschließen, den lebhaften Westwind auszunutzen, und radeln zum Segelhafen. Der Freund hat sein Boot bei Gollenshausens U-Boot-Kapitän zu einem Spottpreis erstanden, kein Wunder, denn Aida hat faulige Stellen. Heute entdecken sie sogar ein richtiges Leck, das Boot muss ausgeschöpft und vor allem abgedichtet werden – mit dem Segeln wird es nichts werden.

Der Name Aida ist für mich untrennbar mit Anton Flettner verbunden, der den Flettner-Rotor erfunden hat. Dieser war eine hohe und dicke Walze, die senkrecht im Schiff stand und die man mit einem Elektroantrieb rotieren lassen konnte, die Geschwindigkeit war stufenlos regelbar. Durch das Zusammenwirken von Drehung und Windkraft ließ sich ein Unterdruck an fast jeder gewünschten Seite des Rotors erzeugen, man konnte also segeln. So ein Gerät hatten wir bauen und in die holde Aida einsetzen wollen, es gab schon einige Zeichnungen, wie Rotor, Achse und Verankerung aussehen sollten.

Während die beiden jetzt das Boot ausschöpfen, dämmert ihnen, dass das morsche Boot unter Flettners Geniestreich zusammenbrechen oder aus voller Fahrt in den Fluten versinken würde. Missmutig schöpfen sie weiter. Da setzt sich ein Mann in abgewetzter Kleidung auf die Bank am Hafenufer, trinkt aus einer Bierflasche und fängt an zu kommentieren: Das Ausschöpfen lohne sich gar nicht, das

Boot sei altes Gelump, man hätte es längst verheizen müssen. Willy sagt: »Und? Geht Sie das was an?« Sein Freund wird deutlicher: »Keine Ahnung haben, aber blöd daherreden! Gehen Sie weg, Sie stören uns!« Worauf der Landstreicher antwortet, er habe sogar sehr viel Ahnung. Dann leert er die Flasche und lästert weiter. Auch ich ärgere mich jetzt. Mein Leben lang habe ich Menschen verabscheut, die anderen die Freude verderben, nur um sich wichtig zu machen. »Jetzt schleich dich endlich, du Bierdümpfel!«, rufe ich zornig und hoffe, dass er mich irgendwie hört. Tatsächlich konzentriere ich mich darauf, wie sich bei diesem Satz die Zunge zu Gaumen und Zähnen stellt, wie Kiefer und Wangen die Vokale formen – ein körper- und stimmloser Geist schimpft, so deutlich er kann. Und ist gleich darauf völlig verblüfft, denn er erhält Antwort!

»Ein Bierdümpfel bin ich nicht. Für euch schon gar nicht!«

»Hat ja niemand gesagt«, antwortet Willy.

Der Typ steht auf, seine Beine tragen ihn kaum, und wendet sich zum Gehen, und plötzlich singt er:

»Ja du schöne Hobel-Hobel-Bank,

gestern hamma gsuffa,

heut samma krank.«

Ich versuche noch einmal, ihn anzusprechen, bewege mein fiktives Sprechwerkzeug wie ein Theaterschauspieler: »Können Sie mich hören? Ich bin der dritte Mann!«

Aber der Trunkene sagt nur: »Deppen, allesamt Deppen!«, was mich leider nicht unbedingt einschließt.

»Können Sie mich vielleicht sehen? Sehen Sie mich?«, rufe ich verzweifelt und unhörbar. Keine Antwort. Schliefe Willy jetzt auf der Stelle ein oder fiele in Ohnmacht, ich würde zu dem Betrunkenen hinwehen und ihm Fragen stellen – ich bin ziemlich sicher, dass er mich irgendwie wahrgenommen hat.

Da nun heute doch nicht mehr gesegelt werden kann, verabschiedet sich Willy und fährt ein wenig im Dorf herum. Ich bin von der Idee fasziniert, dass Angetrunkene verstehen, was ich sage. Hoffentlich trifft der Junge schnell ein weiteres Exemplar, aber das ist am hellen Tag im ordentlichen Chieming nicht wahrscheinlich.

Willy hofft, irgendwo das Mädchen zu sehen, das er liebt. Spähend fährt er die Hauptstraße ab, zuerst am Pfaffersee entlang. Es gibt an diesem See einen großen Hof, der »beim Bäcker« heißt, oder nach dem früheren Besitzer »beim Millkreiter« oder nach dem jetzigen »beim Kajetan«. Dieser Kajetan kommt gerade auf seinem Bulldog herausgefahren. Er hat ein blindes Auge und trägt darüber eine schwarze Klappe, die kleinen Kindern Angst macht. Aber auch wenn er hin und wieder poltert, ist er die Gutmütigkeit in Person. Jetzt geht es am Gasthof Unterwirt vorbei, der breit gebaut ist wie ein großer Bauernhof, hell und schön bemalt, ein Bild von Dorfwirtshaus. Nach der Kurve beim Bachkramer fährt Willy weiter die Hauptstraße entlang, und neben ihm liegen auf beiden Seiten die großen Bauernhöfe wie eine ruhende Elefantenherde, die Gesichter nach Osten gerichtet, bis hinauf zur Kirche und weiter, wo sich Oberwirt, Post und Zahnarzt dazugesellen. Von Letzterem, einem wortkargen Mann, habe ich den Befehl: »Jetzt gut aufmachen!« als Ankündigung von Unannehmlichkeiten in Erinnerung.

Die von Willy gesuchte Schöne erscheint heute nicht, obwohl sie um diese Zeit meist mit dem Hund der Familie unterwegs ist – auch ich hätte sie mir gern noch einmal angeschaut. Aber ich sichte weiterhin Dorfbewohner, die mich interessieren. Schade, dass der Junge nicht mit ihnen spricht, sondern nur grüßend an ihnen vorbeifährt. Ich freue mich dennoch, sie zu sehen, weiß allerdings von vielen ihr künftiges Schicksal und rechne nach, wie lange sie noch leben werden. Das macht etwas traurig, kann mich aber kurz von meiner Lage ablenken.

Aus der Post kommt Frau Spatzl, eine helle Frau mit genauem Blick, eine gute Mutter für ihre drei Buben, in jüngeren Jahren war sie ein bayerischer Leichtathletikstar. Mir ist sie durch Humor und Lachfältchen in Erinnerung – wunderbar konnte sie lachen! Aber ich erinnere mich auch an unsere letzte Begegnung, ein Jahr vor ihrem Tod. Sie war blass und furchtsam, ging krumm vor Schmerzen an zwei Stöcken. Auf meine Frage nach ihrem Befinden sagte sie nur »Danke« und brach in Tränen aus. Ich hatte gehofft, sie noch einmal lachen zu sehen. Bei der Eigenschaft »Mutterwitz«, die man gewöhnlich den Einwohnern Berlins zuschreibt, habe ich stets nur an Frau Spatzl denken müssen: verschmitzt, herzlich, gütig.

Die Angst vor dem Altwerden meldet sich wieder bei mir. Vor Verlusten und Traurigkeit, Schmerzen und Krankheiten, Hilflosigkeit, vor dem Angewiesensein auf die Hilfe anderer. Lieber gar nicht erst alt werden? Schluss machen, bevor ich dahinsieche oder den Überblick verliere? Aber erst muss ich noch dafür sorgen, dass ich Astrid keine zu große Unordnung hinterlasse. Und mein Leben halbwegs anständig zu Ende bringe. Schon deshalb muss ich zurück ins Alter. Vielleicht kann ich ja dann auch noch eine Weile zuschauen, wie sich alles weiterentwickelt. Zeitung lesen, selbst wenn es nur noch die Todesanzeigen sind! Und das Schönste: jüngeren Leuten Ratschläge erteilen.

Für Frau Spatzl hätte Willy ruhig mal bremsen und mit ihr reden können, aber er lauert ja auf sein edles Wild. Bis zum Schneider Babl fährt er weiter und schaut, ob das Prinzesschen etwa den Weg nach Norden oder Osten eingeschlagen hat. Vielleicht ist sie auch schlicht zu Hause geblieben. Willy kehrt um und fährt den Kirchberg wieder hinunter. Er lässt seinem Rad »Vaterland« freien Lauf, ein Huhn quert gefährlich seinen Weg.

Vor dem Bauern, an dessen Hof er gerade vorbeifährt, hat er etwas Angst, denn er ist jähzornig. Geht dem etwas gegen den Strich, dann braust er auf und wird sehr deutlich. Das soll auch ein Ochse erfahren haben, der beim Pflügen nicht ordentlich zog: Der wütende Bauer habe ihn ins Ohr gebissen, worauf das Tier stundenlang vorbildlich zog. Die Geschichte ist natürlich erfunden – kein Bauer beißt seinen Ochsen ins Ohr, eher schon einen Menschen.

Willy fährt am Peltzerhaus vorbei zum See, passiert das Huberhölzl und biegt dann in den Weg ein, der zur Landstraße hinaufführt. Dann kommt noch die Birkenallee, und er ist zu Hause, was im Moment nur eines heißt: Zeit für die Schularbeiten.

Heute hat er nur in Erdkunde etwas auf, es ist genauer gesagt eine Strafarbeit, weil er bei Stalin, dem Siebenbürger, allzu »gutt geschlaffen« hat. Thema: »Afrika politisch«. Eigentlich sollte er von Sékou Touré oder Patrice Lumumba etwas Aktuelles gehört haben. Stattdessen schreibt diese Schlafmütze extra ausführlich über deutsche Kolonien in Afrika, die es schon vierzig Jahre nicht mehr gibt. Ein Blick ins Internet würde – halt, das gibt es noch nicht. Aber er schaut doch tatsächlich in einen Pultatlas vom Großvater *(Stielers Hand-Atlas)*, erschienen 1905, und beschreibt in möglichst raumgreifender Schrift, was da eingetragen steht. Von mir aus kann ihm Stalin dafür gleich noch mal eine Arbeit aufbrummen, Thema: »Wie bleibe ich auf dem Laufenden«, acht Seiten! Gut, er ist nicht ganz bei der Sache, denn er hört gleichzeitig eine Schallplatte, *Christmas Carols* vom Knabenchor des King's College, Cambridge, und zwar immer wieder »Once in Royal David's City«, weil ihn die Sopranstimme der ersten Strophe so entzückt. Sie hält die langen Töne makellos wie eine Orgelpfeife, besser kann man das nicht singen. Ich erinnere mich, wie fest ich davon überzeugt war, es sei eine weibliche Stimme und die Sängerin schön wie ein Engel.

Während Willy die Seiten mit seinem Unsinn über Afrika füllt, probiere ich etwas aus: Kurz bevor er ein Wort hinschreibt, versuche ich mich auf ein anderes zu konzentrieren und spreche es sehr artikuliert vor. Zum Beispiel steht da schon: »Es wurden zahlreiche Bodenschätze …«, und Willy wird jetzt wohl gleich »erschlossen« oder »abgebaut« schreiben. Ich sage ihm vor: »gestohlen«. Immerhin verschreibt er sich, muss ein »gebaut« streichen und »abgebaut« dahinterschreiben. Etwas Hoffnung gibt es also. Als er gegen Ende erörtert, ob selbstständige, von »Negern« regierte Staaten je eine Chance hätten, versuche ich das vom Sinn her klar sich abzeichnende Wort »unmöglich« durch »wahrscheinlich« zu ersetzen. Ergebnis: »wohl möglich«. Hurra, es geht! Die Strafarbeit ist jetzt zu Ende, weil er nur vier Seiten schreiben musste. Sehr schade, denn ich würde ihm gerne noch Begriffe wie »Imperialismus« und »Armut« beibiegen, vielleicht sogar »Ausbeutung«, dicht gefolgt von »Verbrechen«. Stalin würde staunend ausrufen: »Ein schönner Jun-ge!«

Ich werde diese Versuche unbedingt fortsetzen, sobald Willy wieder etwas schreibt.

Die Mutter klopft im bekannten Rhythmus an die Treppenwand: Großvater und Willy sollen zum Abendessen kommen. Vater ist schon unten, er hat Mutter in der Küche etwas vorgelesen. Der Großvater – mir fällt ein, dass er mittags »Besuch« gemurmelt hat. Könnte es sein, dass er mich meinte? Er trinkt zwar nicht, aber er halluziniert wenigstens ab und zu. Kann ich vielleicht mit ihm sprechen, ihn um etwas bitten? Versteht er, was ich meine? Und wenn es so ist, weiß er etwas, kann er mir einen Rat geben?

Willy läuft unterdessen die Treppe hinunter, und sein Großvater folgt, die Hand am Geländer, gemessenen Schrittes und »arschlings«.

Nichts hat sich getan, weder bei irgendwelchen Glockenschlägen noch vierundzwanzig Stunden nach dem Sturm. Alle Konstruktionen meiner Hoffnung haben versagt.

Ich denke an Astrids Verzweiflung, sie braucht jetzt wenigstens Gewissheit – nichts ist doch schlimmer, als wenn ein geliebter Mensch plötzlich verschwindet. Wenn man nicht weiß, ob er noch irgendwo lebt oder tot ist. Vielleicht hat sie ja wenigstens meinen Leichnam und kann mit dem Trauern beginnen. Und was tue ich? Ich bin noch da, aber nur als ruheloser Untoter. Können Geister Kummers sterben?

Sechstes Kapitel

Abend und Nacht

Bei den Weitlings wird zwischen warmem »Abendessen«
und kaltem »Abendbrot« unterschieden. Meist gibt es nur
Brot, Wurst und Käse, harte Eier, ein paar Perlzwiebeln,
Gürkchen und Tomaten. Alles ist auf einer Drehscheibe,
dem sogenannten Cabaret angeordnet, und das Drehen
macht Spaß. Willy dreht meist etwas zu kräftig. Zwei
Radieschen rollen weg und landen beim verdutzten Großvater. Der dreht nie, er weiß mit dem Cabaret nichts anzufangen und macht lieber einen langen Arm. Mutter miss-
fällt das, immer wieder versucht sie ihm zu erklären, dass
das Drehen weniger anstrengt. Aber er nimmt das nicht
auf oder vergisst es bis zum nächsten Mal. Willy versteht
die Mutter nicht: »Lass ihn doch! Dann macht er es eben
anders als wir, und?« Eigentlich hat er sich damit im Ton
vergriffen, aber Vater schweigt: Er sieht es genauso.

Ich sehne jetzt die Stunde herbei, da Willy im Bett liegt
und schläft, denn dann werde ich versuchen, mit Großvater zu reden. Aber bis dahin ist es noch lang – zunächst
wird ja auch Großvater schlafen. Meine Chance kommt,
wenn er mitten in der Nacht wach wird. Ich weiß, dass er
dann unruhig in seinem Zimmer herumwandert und mit
sich selbst spricht – oder eben mit Geistern.

Meinen Großvater liebte ich sehr, er war mir näher
als beide Eltern. Ich meinte sein verlässliches Wohlwollen

auch dann noch zu spüren, als er nicht mehr richtig im Kopf war. Sein Verdämmern betrachtete ich ohne Schmerz, sachlich. Ich hatte die guten Nerven und den *sacro egoismo* des Jugendlichen. Alles, was mit dem alten Herrn vorging, fand ich nicht herzzerreißend, sondern interessant. Am liebsten hätte ich erforscht und Notizen dazu gemacht, was sein Gehirn noch hergab und was nicht. Ich ließ es bleiben, weil Mutter darüber in Tränen ausgebrochen wäre – ihn selbst hätte es sicher amüsiert.

Willy überlegt, ob er ins Kino geht. Vater rät ab, denn heute läuft *Heimatlos* mit Marianne Hold. Nein, das muss tatsächlich nicht sein. Der Junge sähe vermutlich lieber etwas Heldenhaftes wie *Verdammt in alle Ewigkeit*, *Die Brücke am Kwai* oder wenigstens *Canaris* mit O. E. Hasse. Etwas Krieg ist ihm immer recht, auf keinen Fall aber deutsche Heimat- und Liebesgeschichten. Schnulzen machen ihn krank.

Ich weiß noch, dass sie mich richtig wütend machten. Ich glaubte, dass sie mein Herz für eine Lüge missbrauchten, für eine Ideologie des privaten Glücks. Daran mochten seelisch zermürbte Kriegsheimkehrer glauben oder die Frauen, die sechs Jahre auf sie gewartet hatten. Zwar gab es wohl etwas wie Glück – das hielt ich immerhin für möglich. Aber ich hasste die Art, wie es mir hier verkauft werden sollte: als Resultat von Reinheit, Harmlosigkeit und Bescheidenheit. Und irgendwo lauerte das destruktive und notorisch unbescheidene Böse, das darauf aus war, das kleine Glück der Guten zu zerstören. Während ich darüber nachdenke, kommt mir der Verdacht, dass ich vor allem mit Bescheidenheit nichts anfangen konnte.

Um 1958 war »Verlogenheit« mein Lieblingswort, ich richtete es wie eine Waffe gegen alles Mögliche – Feste, Hochzeiten, Beerdigungen, Freundschaften, alle Gepflogenheiten meiner Eltern, die Bücher meines Vaters, die

Plaudereien meiner Mutter und alle Filme, in denen Marianne Hold mitspielte. Gut, dass mir noch nicht aufging, was für Verfälschungen Filme wie *Canaris* waren, fromme Lügen vom gleichen Stamm, Tröstung für Mitläufer- und Täterseelen. Und gut war auch, dass ich damals meine eigene Verlogenheit noch nicht wahrnahm, ich hätte mich ja umbringen müssen. Dann gäbe es heute nicht das Richtergespenst Wilhelm Weitling.

Willy bleibt also zu Hause. Vater will fernsehen, Mutter ist dagegen, sie will »mit ihren drei Männern« in Vaters Arbeitszimmer Musik hören. Vater sagt: »Nicht zu lange, ich muss noch schreiben.« Ein bisschen wird er später doch noch fernsehen, das eine und einzige Programm, und nach Nationalhymne und Sendeschluss tatsächlich arbeiten bis in den frühen Morgen.

Mutter hat keine speziellen Musikwünsche, Vater sucht die Platten aus. So ist das eingespielt: Er ist der Schriftsteller, wichtig sind daher seine Einfälle und die Musik, die er dazu braucht. Willy ist ebenfalls bereit zu hören, was auf den Plattenteller kommt, obwohl er virtuose Klavierstücke am liebsten hat – er malt sich dann aus, er selbst könne so spielen. Dabei hat er sich noch nicht einmal die Möglichkeiten der Blockflöte erarbeitet.

Großvater fügt sich stets den Musikwünschen des Schwiegersohns, hofft insgeheim aber auf russische Klassiker. Ausnahme: Tschaikowsky – da steht er auf und geht! Tschaikowsky ist für ihn »reinstes Kurkonzert«, das hat er einmal genau so gesagt. Ob er jetzt Musik noch genießen kann, ist schwer herauszufinden, er sitzt regungslos und streicht sich immer wieder über die Knie.

Heute hat Vater Lust auf Modernes. Nach Igor Strawinsky und Werner Egk kommt Theodor Berger dran, den er »Thätschibatschi« nennt, dann Karl Amadeus Hartmann, dessen Namen er aus ebenso unbekanntem Grund mit dem Zusatz »genannt die Weißwurst« versieht, schließlich späte Klaviervariationen von Anton Webern. Mutter hört mit geschlossenen Augen und wippt mit dem Fuß, womit sie Webern etwas unrecht tut, aber sie will jetzt zeigen, dass sie das gemeinsame Hören genießt. Ich sehe bei Zwölftonmusik Landschaften vor mir, meist Gärten. In ihnen ist viel in Bewegung, ein großes natürliches Durcheinander, Vögel, Grillen, Hunde, Bienen und Wespen – kein gemeinsamer Rhythmus und kaum Wiederholungen.

Was ich vermisse, ist der Geruch des Plattenspielers, er roch am Ende der Musikabende immer nach warmem Lötzinn. Ausgerechnet ich ohne Nase – ich fühle mich um das Schönste einer Zeitreise geprellt.

Mir bleibt derzeit nur übrig, über alles neu nachzudenken, über mein Elternhaus, meine Jugend, meine Person. Und nicht, weil das von so großem Interesse wäre, auch nicht, weil Gott mir zu diesem Zweck den Sturm geschickt hat, sondern weil in der nächsten Zeit mein einziges Vergnügen darin liegen wird, ein kleines bisschen mehr zu verstehen als bisher. Über meinen Vater zum Beispiel.

Was hat Hansjörg Weitling im Krieg erlebt und gesehen, was getan? Er hat von sich aus nichts darüber gesagt, und gefragt habe ich ihn auch nicht. Er war gutmütig, humorvoll, rechtschaffen und mit derart vielen kleinen Fehlern ausgestattet, dass ich an große nicht glauben mochte – ein Bonhomme, ein Paul Dahlke. Die Väter waren oder spielten nach dem Krieg alle irgendwie Paul Dahlke. Meist spielten sie ihn tatsächlich nur: Sie waren unsicher und bedrückt. Mein Vater hatte bis zu seinem großen Erfolg wenig Selbstbewusstsein, und wenn er vor einem Publikum saß, schien es, als bäte er ständig um Entschuldigung für die beanspruchte Zeit. Er schien auch darunter zu leiden, dass er so langsam schrieb – Jahre gingen ins Land, bis ein Roman fertig war, und seine Frau wusste nicht, woher das

Haushaltsgeld nehmen. Aus diesem Grund habe ich ihm ja auch eines Tages Pachtners *Richtig denken – Richtig arbeiten* überreicht, was er immerhin mit Spott quittierte. Erst nach dem guten Verkauf seines Romans *Schwarze Segel für Messenien* so ab Dezember 1958 wurde er sicherer, lustiger und auch angriffslustiger, er genoss sogar seine öffentlichen Auftritte.

Vaters erstes Buch handelt von Thomas, einem verträumten Jungen aus einer Berliner Beamtenfamilie. Genau so einer war er selbst, und ich glaube, er wollte anfangs in erster Linie seine Jugenderinnerungen zum Besten geben, erzählen, wie man schon im Elternhaus versucht hatte, ihn um sein Leben zu betrügen. Sein Thomas ist dann in der Nazizeit ein mutloser Mitläufer, der es dennoch nicht vermeiden kann, der Gestapo zu missfallen. Dabei hat er seine Anpassung so zu dosieren versucht, wie ein Freund es ihm geraten hat: »Heule mit den Wölfen, aber nicht so lebhaft, dass sie sich verarscht fühlen!« In dem Buch wird viel philosophiert, über Deutschland, Verstrickung, Freiheit und Glück, aber es transportiert auch das Andenken von Menschen, mit denen Vater befreundet oder verfeindet war, weshalb er vorsorglich auf die erste Seite schrieb: »Weder die Menschen, noch die Begebnisse in diesem Buche sind ganz erfunden.«

Der (Nicht-)Held des Romans wird verhaftet, kann fliehen und taucht in die Illegalität ab. So entkommt er dem Krieg, und der Autor entkommt der Notwendigkeit, Kriegserlebnisse zu schildern. Das holte Weitling 1955, in seinem Plädoyer gegen die deutsche Wiederbewaffnung, gründlich nach.

Beliebt hat sich Vater mit beiden Büchern zunächst nicht gemacht. Die Deutschen lasen damals zwar eifrig alles über die schrecklichen Taten »der Nazis«, aber nur ungern etwas über Mitläufer. Und Büchern über den Krieg wollten sie vor allem eines entnehmen: dass Moral und Ehre des deutschen Soldaten intakt geblieben waren. *Keine zehn Pferde* war nur ein mäßiger Verkaufserfolg, worüber Vater milde Witze machte: »Die Sammler haben es mit mir einfach – mich gibt es nur in Erstausgaben!« Er schrieb auch eine Novelle, in der er sich als Tüftler und Erfinder zeigte. Sie handelte von einem Menschen, der sein Gesicht umoperieren lässt, so zu einer doppelten Erdenbürgerschaft kommt – zu zwei Lebensläufen jedenfalls – und dann notwendigerweise am Problem seiner Identität scheitert. Ich las das Büchlein mit elf, verstand nicht alles, mochte aber seitdem die Idee, nicht einer, sondern zwei zu sein.

Das Wirtschaftswunder, zusammen mit dem Hunger der Leserschaft nach Harmlosigkeit, machte aus manchem zornigen Kriegsheimkehrer, der zunächst den literarischen Kahlschlag probiert hatte, einen gefragten Unterhaltungsautor. Hansjörg Weitling entwickelte die Fähigkeit, »spannend« zu schreiben, ohne ins Seichte zu geraten. Zudem war er ein Architekt, der gern raffiniert baute, aber es schaffte, das Ergebnis simpel ausschauen zu lassen. Er landete ein paar Hörspiele beim damals noch alles beherrschenden Rundfunk, beschäftigte sich in seinen Büchern mit historischen Kriminalfällen, schließlich vor allem mit Justizirrtümern. Und er war damit in seinem Element, denn er betrachtete alle Jurisprudenz mit äußerster Skepsis, hasste Paragrafenreiter und hielt Staatsanwälte ausnahmslos für engstirnig. Beweise und Gewissheiten verachtete er aus Prinzip. Seine Liebe galt der Ambivalenz und dem zur Forschung einladenden Halbdunkel. Zu seiner Lieblingslektüre zählten alle Bücher Gilbert Keith Chestertons, trotz dessen Katholizismus, vielleicht sogar darum – Vater liebte es, beim Lesen den Seitenrand mit Fragezeichen, Ausrufungszeichen und dicken Kringeln zu versehen.

Das Publikum lernte seine Rätsel und überraschenden Wechsel in der Beweisführung zu mögen, und so wurde in den Siebzigerjahren aus Weitling ein geradezu volkstümlicher Schriftsteller, vielleicht sogar ein bisschen überschätzt. Jedenfalls fand das sein skeptischer, nun erwachsener Sohn, der wenig Lust zeigte, sich in die Schar der Bewunderer einzureihen.

Ich vertrat mehr und mehr, 1958 noch verstohlen, danach in immer offenerer Feldschlacht die Meinung, dass Vater nicht Justizkritik, sondern Justizverachtung betrieb. Das stimmte zwar nicht ganz, aber es war für mich ein Grund, keinesfalls Schriftsteller zu werden, sondern »einer, der Verantwortung trägt und nicht immer nur Verantwortliche kritisiert«.

Auch dass ich mich während der Bundeswehrzeit gegen Volkswirtschaft entschied und Volljurist werden wollte, hing mit dem Vater zusammen, der diese Bezeichnung stets wie ein Schimpfwort aussprach: »So etwas von Volljurist ist mir noch nicht untergekommen!« oder: »Da müssen wieder absolute Volljuristen am Werk gewesen sein!« Als ich Staatsanwalt werden wollte, quälte ihn das: Einen Anwalt könne er sich noch vorstellen, vor allem einen Strafverteidiger – aber Staatsanwalt? Richter gar? »Willy, ganz ehrlich, das tut mir weh. Du weißt, was ich von der Truppe halte.«

»Du schüttest das Kind mit dem Bade aus«, antwortete ich. »Es gibt gute Staatsanwälte und gute Richter, keineswegs nur solche wie deinen Tobsüchtigen!«

Damit spielte ich auf ein Erlebnis an, das ihn stark beeinflusst hatte: Er war 1945 wegen Fahnenflucht von einem fanatischen Schnellrichter verurteilt worden und hatte nur dank einer gnädigen Fliegerbombe überlebt, die das Gericht in Schutt und Asche legte. Zu seinen Lieblingsfilmen gehörten Wolfgang Staudtes *Rosen für den Staatsanwalt* und Sidney Lumets *Die zwölf Geschworenen*, Letzterer auch zu meinen.

»Ich finde, du malst ständig von einem der wichtigsten Berufe der Nation ein Zerrbild!«, hielt ich ihm als Student vor. Das Wort Nation wählte ich bewusst: So konnte man ihn am sichersten ärgern.

»Ich bestreite nicht, dass er wichtig ist«, antwortete er. »Ich halte nur von den Richtern nichts.«

»Sie sind unabhängig, und das gefällt dir nicht.«

»Nein, ich kritisiere, dass sie das eben nicht sind! Die geistig unabhängigen Richter in Deutschland könntest du einzeln mit Handschlag begrüßen, nach fünf Minuten wärst du durch!«

»Niemand kann sie wegen ihrer Urteilsfindung dienstlich beeinträchtigen oder absetzen, das ist Gesetz.«

»Du musst fragen, wer sie einsetzt.«

»Wie bitte?«

»Na, wer sie anstellt! Das sind die Herren Justizminister, und die gehören Parteien an. Da fängt sie doch schon an zu wackeln, deine Unabhängigkeit.«

Heute weiß ich, dass ich als Jurist viel von ihm profitiert habe. In seinem Bücherschrank standen die besten Bücher über das Rechtswesen, von den Schriften Anselm von Feuerbachs bis zu Slings Gerichtsreportagen. Und auch von Vaters Skepsis gegenüber scheinbar unumstößlichen Beweisen blieb bei mir etwas hängen. Nicht selten, wenn der Staatsanwalt etwas als erwiesen erachtete, sah ich meinen Vater vor mir, wie er die rechte Braue hochzog – bei ihm ein Zeichen äußersten Misstrauens. Ich habe das übernommen, es ist mein inzwischen gefürchteter Gesichtsausdruck angesichts von Indizienketten, die kein Wohlwollen verdienen.

Gern zitierte Vater das berühmte Wort Oliver Cromwells an die Parlamentsmehrheit: »Beim Erbarmen Christi, behalten Sie die Möglichkeit im Auge, dass Sie irren!« Das Erbarmen ließ Vater weg, er war Aufklärer.

Vater war, auch im Gespräch, jederzeit für müde Kalauer, aber auch für Bosheiten gut, manches gehörte beiden Richtungen an, etwa: »Ultra posse nemo Alligator«, was ja ebenso zutrifft wie »obligatur« (»über sein Können hinaus ist niemand verpflichtet«). Ein anderer Ausspruch war »Die Wüste des Menschen ist unantastbar«, er tat ihn gern während der Abendnachrichten.

Dass er unser Haus verkauft hat, macht mich traurig bis heute, aber er wollte eben nicht allein dort leben, wo er mit Mutter glücklich gewesen war. Ich habe ihm das und vieles andere verziehen, ebenso wie er mir den Richter und die Rückkehr zur Kirche. Wir haben uns ausgesprochen, ohne große Worte zu machen. Fest steht: In der Zeit, als wir beide nach Chieming zurückkamen, er aus dem Krieg und ich aus dem fatalen Kinderheim, da war er mir ein freundlicher, ruhiger, nicht zu strenger, vor allem einfalls- und geschichtenreicher Vater. Und als ich Häuptling Schwere Tasche war und an der Volksschule schier verzweifelte, half er mir beim Rechnen und zeigte mir, dass es Spaß machen und manchmal sogar wichtig sein kann. Später lernte ich allein durchs Zusehen, was ein Freund war – er hatte einen jüngeren Kollegen auf der anderen Seeseite, der mit ihm Stunden und Tage über Manuskripten saß, sie halfen sich und trösteten einander. Wenn ich alles zu überblicken versuche, was mir über das pure Leben hinaus, direkt oder indirekt, durch ihn geschenkt worden ist, dann war er der beste aller denkbaren Väter.

In seinen letzten Lebenswochen tippte er im Krankenhausbett auf einem Laptop herum und empörte sich: »Hier, wer soll das noch verstehen: ›Klicken Sie auf Abbrechen, wenn Sie das Abbrechen abbrechen wollen, und auf Fortfahren, wenn Sie mit dem Abbrechen fortfahren wollen‹!«

Auf dem Sterbelager witzelte er mit Flüsterstimme: »Ich habe Neunzigjährige erlebt, die kerngesund waren. Aber die haben auch nicht mehr lange gelebt.« Mit den Christenmenschen haderte er bis zuletzt: »Sie geben nie auf! Erst lassen sie dich nicht in Ruhe und dann nicht in Ruhe sterben!«

Als er seinen letzten Atemzug tat, saß ich bei ihm. Ein paar Stunden zuvor hatte er noch gesagt: »Es riecht nach Regen.« Das war aber ein inneres Wetter – weder roch es nach Regen, noch kam dann einer.

»So, mehr gibt's nicht, Schluss für heute!« Vater lächelt in die Runde, schiebt die Platten in die Hüllen und klappt das Gerät zu. Großvater stützt sich aus dem Sessel hoch, steht eine Weile, als lausche er in sich hinein, hebt dann bedeutsam die Rechte und sieht alle ernst an. Will er sprechen? Aber er dreht sich nur vorsichtig zur Tür, sucht kurz Halt am Bücherregal und geht hinaus. »Gute Nacht, Papa!«, rufen die Eltern fast gleichzeitig, und Willy schließt sich an, mit »Opa«. Mutter legt die Hände über ihre Augen, wird sie weinen? Kommt etwas Theatralisches oder ein Dichterwort? Sie lässt die Hände wieder sinken und sagt nur: »Ich schaue dann nach ihm.« Großvaters Schritte sind auf der Treppe zu hören, er ruht sich auf jeder Stufe aus, braucht schon sehr lang fürs Hinaufgehen.

Ich glaube, ich weiß jetzt, was ich als Junge ernsthaft und tief geliebt habe: nicht Vater oder Mutter, auch nicht meine eigenen Vorstellungen von Ruhm und Ehre, sie wechselten ohnehin von Tag zu Tag. Geliebt habe ich Großvater Traumleben, das Haus und das Dorf am See, dazu kamen noch die Berge und Traunstein. Wäre Marianne Hold nicht gewesen, dann hätte ich diese fünf Kostbarkeiten meine Heimat genannt.

Warum es zwischen meiner Mutter und mir in den Nachkriegsjahren nicht ganz störungsfrei zuging? Sicher ist nur: Sie konnte nichts dafür. Ich auch nicht. Sie war, als sie mich weggeben musste, zu krank und zu sehr in Not gewesen und ich zu klein, um das zu begreifen, ich fühlte mich daher verlassen und aufgegeben. Aber ich habe diese frühe Havarie des Vertrauens mit ein paar Narben überlebt und mein Leben nicht damit verschwendet, ständig und überall nach Schuld zu suchen. Ich lernte ja doch irgendwann, Menschen zu vertrauen, konnte mir schließlich sogar unter Gott etwas vorstellen. Ich habe mit Mutter in den Monaten vor ihrem Tod, im Sommer 1983, über alles in Ruhe sprechen können. Die Frage, wer möglicherweise Schuld trage und woran, kam nicht mehr auf.

Desirée Weitling, geborene Baroness Traumleben, war mir, und das weiß ich nicht erst heute, trotz ihrer eigenen Verletzungen und Ängste eine gute Mutter. Sie war eine erfinderische Kriegsköchin, die aus erbettelten Resten annehmbare Mahlzeiten schaffen konnte. Ich bewunderte als Kind ihre drahtigen Armmuskeln. Die seien, sagte sie, durch das viele Sägen und Hacken von Brennholz so geworden, aber auch durch das lange Schlagen von zu dünner Sahne. Mutter tat bereitwillig den ganzen Tag, was Mütter leisten müssen: freundliches Locken, sanftes Drohen, besser bekannt unter dem Namen »Erziehung«. Ihr Pessimismus machte sie zu einer umsichtigen Haushälterin, die zu sparen verstand. Außerdem konnte sie zärtlich sein und schöne Gutenachtgeschichten erzählen.

Sie war, was auch ich als Soldat und Student zu schätzen wusste, eine Briefschreiberin wie aus dem vorigen Jahrhundert. Jahrzehntelang schrieb sie auch an ihre Verwandten in der ganzen Welt, und in harten Zeiten erwiesen sich diese als tatkräftige Verbündete. Nach 1945 trafen in Chieming dicke Pakete ein: Käse aus Dänemark, Plumpudding aus England, Weine aus Frankreich – der verbliebene Traumleben-Anteil der Weltbevölkerung war mobilisierbar. Wenn irgendetwas für meine Mutter Zukunft hatte, lag es in der Vergangenheit.

In den Erfolgen ihres Mannes ab 1959 sonnte sie sich nicht ungern. Sie hatte auch viel dafür getan: Auf ihrer alten Torpedo-Maschine schrieb sie alles ins Reine, was dem Schriftsteller ablieferungsfähig vorkam. Ihre Sparsamkeit behielt sie auch in den besseren Zeiten bei, sie war der Finanzminister und hielt das Geld zusammen, das Vater ohne sie rasch in schönen Dingen angelegt hätte – nach ihrem Tode geschah das auch, aber dann war das Geld dafür da.

Mutter war ein Konversationstalent, unterhielt und bewirtete »wichtige Gäste« und sorgte dafür, dass deren Lieblingsgetränke im Kühlschrank waren – sie konnte sich schlechterdings nicht vorstellen, dass ein Verleger das Manuskript ihres Mannes akzeptierte, wenn seine Whiskysorte nicht bereitstand. Ihr Traum vom auskömmlichen Leben, den sie nach dem Krieg leidenschaftlich träumte, sollte – spät zwar – einigermaßen in Erfüllung gehen.

Ich sehe sie noch vor mir, wie sie um 1950 gebannt die amerikanischen Zeitschriften durchstudierte. Sie hießen *Life, Saturday Evening Post, Good Housekeeping* oder *Cosmopolitan* und waren allesamt im Münchner Amerikahaus entliehen. Mich faszinierte der angenehme Lackgeruch, der ihren Hochglanzseiten entströmte. Und ich stürzte mich auf die Autoreklamen: Die ausladenden Straßenkreuzer, verschwenderisch verchromt, vor allem ihre so schön furchterregenden Kühlerfratzen taten es mir an – amerikanische Autos grimassierten, sie fletschten die Zähne und waren Monster, aber gutartige, die die Familie schützten. Dazu die breiten Reifen, die starken Motoren! Wie beängstigend sich diese Schlitten in jeder Kurve benahmen, konnte ich in allen Gangsterfilmen sehen, mein Glaube an Amerika war aber auch dadurch nicht zu erschüttern. Ebensowenig war es der meiner Mutter. Alles an und in den Vereinigten Staaten war ideal – die Freiheit, die schönen Menschen, die Kleider, die Häuser, die Filme, sogar die Wahlkampagnen und die Unternehmen. Mutter war sonst ein eher vordemokratischer Charakter und sehnte sich nach den ausgedehnten Gütern derer von Traumleben zurück, aber sie war fest davon überzeugt, dass die freie Marktwirtschaft für alles Glück der Welt sorgte, wenn man sie nur in Ruhe ließ. Gern sprach sie vom »König Kunde« und war rechtschaffen beleidigt, wenn ein Geschäft sie nicht als Majestät behandelte.

Für die Bayern, insbesondere aber für die Bauern hatte Desirée Weitling ein geradezu zärtliches Wohlwollen. Sie liebte die bairische Sprache und – sie war dankbar. Ohne die Großzügigkeit frommer, einfacher Menschen hätte unsere Familie in der frühesten Nachkriegszeit sehr viel weniger zu essen gehabt – zu wenig! Der Gedanke aber, dass eine Mehrheit an der Wahlurne über ihr Schicksal entschied, behagte meiner Mutter wenig. Sie gab sich Mühe, die Demokratie nicht zu hassen, aber die Erfolge der Nazis an den Wahlurnen der Weimarer Republik waren ihr in unguter Erinnerung.

Zu diskutieren, Argument gegen Argument zu setzen war ihre Sache nicht. Sie gab höchstens einmal etwas »zu bedenken« und wechselte das Thema, wenn die Zustimmung ausblieb. Ihre Fähigkeit, ein Gespräch blitzschnell in ein anderes zu verwandeln, bewunderte ich und nannte das den »Rösselsprung«. Gelegentlich spielte sie auch die Urteilslose und zitierte aus den *Meistersingern*: »Der Frauen Sinn, gar unbelehrt …« Bei einer Fernsehdiskussion zwischen Golo Mann und dem Baron zu Guttenberg sagte sie halb bewundernd, halb amüsiert: »Sind sie nicht phantastisch, diese männlichen Gehirne!« Sie beherrschte im Gespräch mühelos alle Finten und Hebel – die Selbstverkleinerung, die theatralische Klage, Ironie und vor allem jenen Rösselsprung: von Weiß auf Schwarz in einer halben Sekunde.

Als Viereinhalbjähriger hatte ich Brettchen und Drähte zusammengesucht und daraus etwas gebastelt, was ich als »Fuchsfalle« bezeichnete. Dieses Wort wandte sie dann jahrzehntelang auf alle Neuerungen an, die ich mir als Student für das Haus einfallen ließ. Stabileres Gartentor, bessere Wärmedämmung, wirksamere Kellerbelüftung, breitere Balkonrampe – Mutter sagte stets: »Du baust eine Fuchsfalle!« Herabsetzend war das nie gemeint, sie war nur amüsiert.

Sie lehnte eben Neuerungen ab und hätte deshalb, das glaube ich fest, dem Verkauf des elterlichen Hauses am Traumlebenzipf nie zugestimmt. Wäre sie nicht 1983 mit sechsundsechzig Jahren gestorben, das Haus sähe heute noch genauso aus, wie ich es 1958 als Geist noch einmal besichtigen darf: mit der türkischen Standuhr, Meyers Konversationslexikon von 1904 und natürlich ohne all das vom Vermieter eingeschleppte Schmiedeeisen, das er für »rustikal« hält. Der Mann ist Schrotthändler, er weiß es nur noch nicht. Sollte ich ihm jemals wieder begegnen, werde ich ihn aufklären. Und dabei auch für meine Mutter sprechen, mit der ich, bis auf das Vordemokratische, in immer mehr Dingen einig bin. Hinnehmbar erschien mir zu fast allen Zeiten, dass sie mich geboren hat. Darüber hinaus denke ich, tautologisch aber freundlich: Sie war für den, der ich wurde und bin, wohl ganz die richtige Mutter.

Als Desirée Weitling nach kurzer, unheilbarer Krankheit gestorben war, da fand sich auf dem Friedhof St. Johann in Stöttham neben einigen Nachbarn und Münchner Freunden auch eine Handvoll derer von Traumleben aus aller Welt ein, die meine Mutter als Spross einer einst mächtigen Sippe verabschiedeten. Ihre Blicke ruhten auf mir, besser gesagt auf meiner Familientauglichkeit. Eine alte Dame sagte in meiner Hörweite: »Er hält die Arme angewinkelt und lässt die Schultern hängen – ein Bild von einem Traumleben!« Ich ging diskret hinaus, damit sie darüber sprechen konnten, ob ich wohl noch Kinder in die Welt setzen würde. Der Vorgang konnte mich nur kurz erheitern, ich nahm den Tod der Mutter so schwer, wie ich mir das nicht hatte vorstellen können. Niemand kann sich das vorab vorstellen.

Vor meinem Besuch bei Großvater möchte ich gerne ein wenig im Haus herumstreifen, aber der Junge hat sich im Schein der tulpenförmigen Bettlampe in die *Dämonen* vertieft und bleibt vermutlich noch stundenlang wach. Es ist das Exemplar von Großvater, eine Piper-Ausgabe von 1922 – mein Vater hat sie später dem Trödler gegeben wie alles andere, nichts wollte er behalten.

Wie kann man nur mit einer solchen Lampe lesen? Zwar richtet der Schirmtrichter das Licht aufs Buch, aber es ist eine Birne von gefühlten fünfundzwanzig Watt. Der Junge verdirbt sich die Augen – vor allem: mir. Schrecklich, die Sparerei! Kein Wunder, dass ich schon mit zweiundzwanzig eine Brille brauchte.

Noch ist Willy im ersten Teil des Romans. Wie schafft er es nur, sich die unzähligen Personen mit den langen russischen Namen zu merken? Aber er scheint konzentriert bei der Sache, stützt die Wange in die Hand und blättert sich Seite für Seite voran. Ich lese viel schneller, wodurch bei mir Wartezeiten entstehen. In ihnen kann ich nachdenken, und der gesamte Roman taucht aus der Vergessenheit auf. Oder jedenfalls das, was er mir damals bedeutete.

Jetzt nimmt Willy einen Bleistift vom Nachtkasten und schreibt auf Seite 64 an den Rand: »Manipulation«. Es ist die Nasengeschichte, die da erzählt wird: Der junge, arrogante Nikolaj Wsewolodowitsch Stawrogin hört, wie der würdige alte Pjotr Pawlowitsch Gaganow im Gespräch sagt: »Nein, mich wird man nicht an der Nase führen!« Da tritt er auf ihn zu, packt seine Nase und führt ihn daran ein paar Schritte durch den Saal. Dieser junge Niemand wagt es, sich unvermittelt und grundlos an einer Stütze der Gesellschaft zu vergreifen, welche gepanzert scheint vom gehärteten Schaum ihrer Titel, Verdienste und Auszeichnungen. Eine Frechheit, ja. Aber »Manipulation«?

Ich meinte damals in dem Vorgang etwas von mir wiederzuerkennen, und ich bezeichnete das mit diesem Begriff. Ich hatte ihn aufgeschnappt, wusste nicht, was er gemeinhin bedeutete. Was ich darunter verstand, war nicht das Inbesitznehmen und Führen anderer, sondern die Fähigkeit, mich selbst als etwas aufzuführen, was ich noch nicht war. Das war eher Autosuggestion, Voraussetzung für Hochstapelei und Bluff. Ich entdeckte die Welt des Scheinens, des Durchhaltens einer Rolle, und nannte das alles, ohne mich mit Definitionen aufzuhalten, »Manipulation«.

Ein bisschen Hitler steckte wohl darin – dessen Taten ich nur in groben Umrissen kannte, den ich aber über alle Pflicht hinaus so rasend verabscheute, dass ich mich heute frage, ob Selbsthass mitschwang. Parallelen gab es: Ich war einer, der sich selbst misstraute, krankhaft schüchtern, oft verwirrt und zaghaft, daneben aber auch genussabhängig, bequem bis faul, obendrein anmaßend. Immer wieder versank ich in Depressionen, aber ebenso oft trieben mich ehrgeizige Träume um, sogar die Idee von einem Teufelspakt, der mich unverwundbar machte: Ich wollte ohne Ehrfurcht und ohne Strafenfurcht Unerhörtes tun können und dafür von möglichst vielen (es mussten ja nicht die Besten sein) bewundert werden. Ich glaubte an Wilhelm Hauffs Märchen vom kalten Herzen, mochte nur das moralisierende Ende nicht.

Zumindest mit Nikolaj Wsewolodowitsch Stawrogin

hatte ich etwas Ähnlichkeit, mein Charakter hatte, von außen her kaum merklich, etwas Abschüssiges. Ich habe nur deshalb niemanden an der Nase durch einen Saal geführt, weil das ein Plagiat gewesen wäre. Und meine Zaghaftigkeit hinderte mich lebenslang an übertriebenen Wagnissen.

Möglich aber, dass ich wegen dieser Vorgeschichte einen Sinn für Rechtsbrecher habe. Ich verstehe einen Menschen, der Empörendes probiert, respektive »verübt«, nur um zu erreichen, dass irgendjemand von ihm Kenntnis nimmt. Ich weiß noch, dass mich während der Schiller-Pflichtlektüre in der Schule – der *Don Carlos* war dran – ein einziger Halbsatz traf wie ein Blitz, und schon seine poetische Grammatik hakte sich fest:

»… in seines Nichts durchbohrendem Gefühle.«

Das sagt der Prinz über Herzog Alba, aber ich fand mich darin wieder: Ein Nichts! Kein Seiender, kein Werdender, ein linkischer Affe nur, schlecht in Mathematik, hatte noch nicht mal eine Freundin. Manchmal hatten sogar die Kameraden Mitleid: »Lieber Willy, was bist du nur für ein Hirsch, mach's doch einfach wie alle anderen!«

Ich kenne die Verfassung, in der man überlegt, ob man nur sich selbst oder auch noch diese »anderen« umbringen soll. Ich bin immer noch mit dem Gefühl vertraut, trotz aller Erfahrung, die mich inzwischen am Zügel hält. Ich kann dankbar sein, sollte ich einst das Greisenalter erreichen, ohne ein Verbrechen begangen zu haben. Selbstverständlich ist das nicht.

Irgendwann muss Willy jetzt doch müde werden. Ich habe keine Lust mehr, mitzulesen, ich möchte auch nicht mehr nachdenken. Handeln oder wenigstens mich entfernen!

Wenn ich hier wieder wegkomme und zu Fleisch und Blut werde, will ich alles aufschreiben, was ich während des Abstechers erlebt habe. Durch das gute Erinnerungsvermögen, das ich als Geist offenbar habe, wird nichts verloren gehen. Vielleicht wird ein Buch daraus: »Der Mann, der wieder alt werden wollte«. Was hindert einen Richter, nach der Pensionierung ein Buch nach dem anderen zu schreiben?

Was mich zum Juristen hat werden lassen, weiß ich nicht ganz genau. Eine erhebliche Rolle spielten dabei die Warnungen meines Vaters und sicher auch der große Streit auf unserer Südafrikareise 1961. Beim sechzehnjährigen Willy ist jedenfalls, abgesehen von seinem häufigen Gefühl, ungerecht behandelt zu werden, noch kein deutliches Interesse für Rechtsfragen zu erkennen. In seiner Wissenskartei steckt immerhin ein Zettel »Vernunftrecht«, mit einer Abschrift aus dem Konversationslexikon. Am ehesten kündigt sich bei ihm der Richter dadurch an, dass er oft in Situationen, die sein Eingreifen erfordern würden, tatenlos daneben steht und überlegt, wie man sie in Worte fassen könnte. Und das muss ein Richter sein: Betrachter und Beurteiler, nicht Akteur. Und dazu ein guter Übersetzer aus dem Juristischen ins Deutsche.

Ob ich ein guter Richter geworden bin? Ein Richter Gnadenlos jedenfalls nicht. Eher der Typus »Richterkönig« – scheinbar ordentlich am Gesetz orientiert, aber mit Neigung zu intuitiven Beweiswürdigungen, schöpferischen Auslegungen des Gesetzes und überraschender Strafzumessung. Die Angeklagten profitierten davon meistens, aber keineswegs immer.

Das Richteramt ist eine Frage der Darstellungskunst: Als reif und würdig sollte jeder Richter erscheinen, und manche erwecken diesen Anschein mühelos. Aber wer den weisen Salomo darstellen will, obwohl es bei ihm intellektuell nur zum beflissenen Rechtstechniker reicht, hält das nicht lange durch. Irgendwann ereifert er sich, ist beleidigt, wenn der Staatsanwalt opponiert, dreht durch und geht baden wie Kollege Ölpke. Der hat auch zu wenig erlebt, ist noch zu jung. Ich selbst war in dem Alter auch noch nicht überzeugend, hatte aber immerhin im Leben schon ein paarmal Zweifel an mir gehabt, die schlimmsten um 1969.

Selbstverständlich kann man auch ohne Rechtsempfinden Richter sein, vielleicht bemerkt man selber nicht einmal dessen Fehlen. Von Sophie Scholl heißt es, sie habe schon als Kind ein ausgeprägtes Gefühl für Gerechtigkeit gehabt. Ich nicht, ich war zu egozentrisch. Unrecht schien mir schon im Kinderheim nur das, was man mir zufügte, nicht, was ich anderen antat. Ich halte es für ein Märchen, dass Kinder quasi automatisch einen natürlichen Rechtssinn haben.

Aber etwas anderes kündigte sich bei mir doch an: Das Wort Verurteilen mochte ich schon mit sechzehn nicht und habe es dann immer nur sehr ungern verwendet. Ein Richter »kommt zu einem Urteil«, und das reicht. Er muss weder ver- noch aburteilen.

Ich bin Richter geworden, um anders zu sein als mein Vater. Jetzt gebe ich ihm jeden Tag mehr recht, manchmal dürfte ich ihm sogar ähneln. Mit dem Wort »Schuld« kann ich insgeheim nichts anfangen, ebensowenig mit »Buße« oder »Sühne«. Schuld ist zwar ein nützlicher Begriff, um Verfahren zu einem Ende zu bringen. Aber was er zur Besserung leistet, ist höchstens eine Art psychologischer Hilfe: Der Rechtsbrecher soll einsehen, dass er sich verirrt hat und es fortan besser machen muss. Ihm wird zu verstehen gegeben, dass er unsere Hilfe nicht ausschlagen darf. Einsperren muss man ihn, wenn und solange er eine große Gefahr ist. Kleinere Gefahren aber sind der Gesellschaft durchaus zumutbar.

Ich will durchaus, dass Übeltäter »gerichtet« werden,

aber mehr im bairischen als im hochdeutschen Sinn: Auf Bairisch heißt »richten« reparieren, wiederherstellen, in Ordnung bringen. Das bedeutet Arbeit. Wie sieht es aber mit unserer Hilfe beim In-Ordnung-Kommen aus? Was lernt der Rechtsbrecher im Gefängnis? Meist nichts Gutes, das weiß ich seit jeher. Und genau deshalb hätte ich mich als Richter von Anfang an für die Verbesserung des Strafvollzugs einsetzen müssen. Tat ich aber nicht – zu viel um die Ohren. Oder zu feige.

Ich habe mich jetzt wenigstens einem Verein zur Versorgung von Strafgefangenen mit guten Büchern angeschlossen. Ein kleines, sehr kleines Engagement für die inneren Bootsflüchtlinge dieses Landes.

Endlich hat Willy das Buch zur Seite gelegt und ist bei voller Beleuchtung eingeschlafen. Hat er eine Ahnung, dass Dostojewskis *Dämonen* ihm etwas über seine Zukunft sagen könnten? Ich glaube nicht, zumindest erinnere ich mich nicht. Ich will mit meinem Streifzug noch warten. Vater wird das Licht ausschalten, und das könnte Willy wieder aufwecken.

Zum Richter noch eines: Ich hätte unbedingt selbst einmal im Knast sitzen müssen! Jeder Richter sollte wissen, was es heißt, sich nicht bewegen und nichts tun zu können, nichts für sich und nichts für andere. Da Vorbestrafte nur selten in den höheren Staatsdienst kommen, klafft hier eine bedeutsame Lücke in jener »Lebenserfahrung«, welche ein Richter doch besitzen sollte.

Endlich! Die Tür öffnet sich einen Spalt, Vaters Hand langt herein und dreht am Schalter. Willy schläft weiter – es kann losgehen!

Als Kind hatte ich Vergnügen daran, mich an meinen Großvater anzuschleichen, und er machte das dem jungen Apachen durch seine Schwerhörigkeit leicht. Er hörte schon das langsame Öffnen der Tür nicht und malte selbstvergessen an seinen zärtlichen, in den letzten Lebensjahren melancholischen bayerischen Landschaften weiter. Ab und zu hüstelte er, räusperte sich oder pfiff plötzlich eine Melodie, ohne den Mund zu spitzen, es war mehr ein Pusten als ein Pfeifen, aber die Töne ließen sich erkennen. Es war sicherlich russische Musik, und bestimmt nicht Tschaikowsky.

Zuletzt malte Großvater nur noch einen einzigen Baum, immer wieder, nach Fotos, die mein Vater für ihn aufnahm. Ein leicht verkrüppelt wirkender, kleiner alter Obstbaum, völlig allein auf der großen Wiesen- und Ackerfläche zwischen Frauenbachquelle und Huberhölzl. Er liebte dieses Geschöpf, das in die Erde hinein- statt aus ihr herausgewachsen schien, wie ein zweites Ich, nannte es das »Krebsentier« und malte es bis 1958 immer wieder. Diesen Baum immer besser zu malen war Fedor von Traumlebens letzte Leidenschaft, zugleich Kampf gegen seinen inneren Verfall, vielleicht auch ein Teil desselben. Er war mit dem Ergebnis nie zufrieden, denn dieser verhutzelte Schmerzensmann von Baum wusste sein Geheimnis zu wahren. Das letzte der Bilder hat Großvater nicht beenden können, es stand bis zu seinem Tod im Frühjahr 1959 auf der Staffelei. Und dort sehe ich es jetzt, nachdem ich mich aus Willys Zimmer gestohlen, die Diele durchmessen und durchs Schlüsselloch den Weg ins Atelier genommen habe.

Großvater schläft, umgeben von dem Sicherheitsgeländer, das ihm Vater gezimmert hat, denn zu oft ist er schon aus dem Bett gefallen und lag dann am Morgen hilflos und verfroren auf dem Fußboden.

Ich nähere mich seinem Ohr und wende die Artikulationstechnik an, mit der ich den Betrunkenen und ein klein wenig wohl sogar Willy während seiner Hausaufgabe erreicht habe.

»Opa?«

Keine Reaktion. Noch mal »Opa« – nein, darauf hört er nicht.

»Djaduschka, was träumst du? Ich bin's, Willy!«

Auch das verfängt nicht.

»Baron Traumleben?«

Er schlägt die Augen auf und sagt mit tiefer, heiserer Stimme meinen Namen: »Wilhelm Weitling!«

»Genau!«, antworte ich erfreut. Das ist ein blödes Wort, das er nicht mag. Wenn ich so weitermache, schläft er mir wieder ein.

»Ich bin der Besuch!« Ich verwende sein Wort von gestern. Und das ist eine gute Idee – er hebt die Rechte und lässt sie einen Kreis in die Luft malen.

»Ja, auf Sommerfrische war ich auch schon.« Was er meint, ist mir rätselhaft.

»Wie geht es dir?« Auch keine sehr lichtvolle Frage, aber er antwortet!

»Ich sterbe sozusagen.«

Mir ist beklommen zumute. Er wird doch erst im nächsten Frühjahr sterben. Aber sicher bin ich nicht. Denn wenn ich jetzt hier mit ihm spreche, ist das ein Eingriff in den vorgesehenen Ablauf, vielleicht stirbt er doch heute, jetzt, an meinen Fragen. Bitte nicht, ich liebe ihn! Schon über das »sozusagen« in seiner letzten Antwort könnte ich losheulen, wenn ich Tränen hätte. Er scheint sich über meinen Besuch zu freuen, sonst würde er schweigen.

»Ich bin wieder in der Krabbelallee. Alles schließt sich.«

»Ja?«

»Abflussgedämpft.«

Er meint das Laufställchen um sein Bett, und die Windeln. Das jahrelange Training mit dem Rätsel in einer Hamburger Wochenzeitung zahlt sich aus.

»Ist es dir peinlich, Djaduschka?«

»Nicht direkt. Es passiert.«

Dieser Mensch soll dement sein? Wenn er mit Toten redet, offenbar nicht.

»Redest du manchmal mit Toten?« Ich hätte mir meine Fragen vorher zurechtlegen sollen.

»Totenreich ist ganz was anderes!«

Ich überlege: Das heißt immerhin, dass er mich nicht für einen Toten hält.

»Ich bin Willy ›in alt‹. Achtundsechzig Jahre! Ich will wieder in die Zukunft, ich will wieder in mein Leben und zu meiner Frau.«

Er schweigt. Klar, das war zu viel auf einmal. Er verliert das Interesse – oder? Nein, jetzt spricht er doch wieder.

»Eine Sommerfrische.«

Da, schon wieder! Es muss sein Wort für Wanderungen zwischen Zukunft und Vergangenheit sein. Ich wittere meine Chance.

»Du kennst das also!«

»Es passiert. Man weiß … Und danach weiß man nicht mehr.«

»Wie komme ich da wieder raus?«

»Ein Loch«, sagt er. »Da sind Löcher.«

Macht er sich über mich lustig?

»Wo sind die? Ich muss weg, ich werde vermisst. Meine Frau weiß nicht, wo ich bin.«

Er schüttelt langsam den Kopf: »Nur ruhig. Die Zeit ambuliert nicht. Nicht dort.«

Er ist schon wieder im Wegdämmern, ich muss es fertigbringen, ihn noch einmal zu interessieren.

»Wie bist du zurückgekommen, wie war das, Djaduschka?«

»Sich fest denken.«

Was zum Teufel heißt das? Sich ein Fest denken? Sich

gedanklich festlegen? Einfach nur »sich denken«, sich die eigene Person vorstellen? Oder ganz fest denken? Ich kenne Schwerdenker, Großdenker, aber keine Festdenker. Festredner allenfalls.

»Bleib ganz ruhig. Die Zeit geht nicht weg, nur Minuten.«

Während ich mir dazu eine Frage überlege – was schwierig ist, denn ich habe nichts verstanden –, schläft er wieder ein.

»Djaduschka?« Nichts.

»Traumleben?« Nichts.

»Opa!« Er dreht sich zur Wand.

Eigentlich hat er ja doch eine Menge gesagt. Gut, dass ich mir jetzt alles so gut merken kann. Ich muss seine Worte sichten und interpretieren, sie noch einmal drehen und wenden! Wie oft habe ich dadurch den wahren Zusammenhang herausbekommen – in so mancher Akte stand alles drin, man musste sie nur genau lesen.

Ich verschwinde und ziehe noch einmal durchs Haus, bevor ich zu Willy zurückkehre. Aus Vaters Arbeitszimmer schaue ich auf den See, den ich so liebe. Tagsüber ist er von zahllosen Menschen besetzt, aber nachts gehört er mir – und den ganz wenigen, die das auch genießen. Vom Ostbalkon aus sehe ich unseren gelben Kater in der Wiese sitzen, jetzt ist er grau. Vermutlich hört er Mäuse oder einen Maulwurf. Gelegentlich dreht sich eines seiner Ohren in eine andere Richtung – die Informationen über sich regende Vögel will er auch mitnehmen. Ich rede ihn an: »Muckel, komm! Miezimiezi!«

Der Kater kümmert sich nicht um mich. Entweder können Katzentiere Sommerfrischler aus ferner Zukunft nicht hören oder einfach nichts mit ihnen anfangen.

Es ist schon fast sechs Uhr, keinen Moment zu früh bin ich wieder bei Willy. Als der Wecker klingelt, dreht er sich noch einmal auf das andere Ohr, nachdem er ihn auf halb sieben gestellt hat.

Was hat Großvater gesagt: »Die Zeit geht nicht weg« – die Zeit schreitet also nicht weiter, es vergehen höchstens Augenblicke. Die Lösung liegt in der Frage, wo das denn so sei. Da, wo ich herkomme? Dann ginge in meiner Zukunft während dieses Ausflugs bis zu meiner Rückkehr nichts weiter. Astrid wäre immer noch in Berlin, ein alter Richter immer noch im Sturm auf dem Chiemsee, die Welt wäre dort gerade erst ein paar Sekunden älter? Das wäre schön.

Aber genau deshalb könnte ich ein Ertrinken im See noch vor mir haben, nach längerer Zeit hier, aber nur einem Augenblick dort zwischen den Schaumkronen. »Bleib ganz ruhig«, hat Großvater gesagt. Das werde ich mir ab jetzt öfters vorsagen müssen. Und morgen Nacht erneut versuchen, mit ihm zu reden.

Rechtzeitig zur Sendung *Bouncing in Bavaria* lauscht Willy wieder in die Kopfhörer. Ausgerechnet »You are my destiny« von Paul Anka! Ja, der Junge ist mein Schicksal, auch wenn ich ihn wieder verlassen sollte, aus ihm wird das, was ich schon gewesen bin, oder aber etwas anderes.

Jetzt erklingt »Send me the pillow that you dream on«. Von der Musik der Fünfzigerjahre werde ich am Ende dieser Sommerfrische wohl kuriert sein.

Siebtes Kapitel

Zeitlang

Wir haben April 1959. Was heißt »wir« – Willy hat. Aus der erhofften Rückkehr in meine alten Tage ist immer noch nichts geworden.

Seit über sieben Monaten halte ich diesen Jugendarrest für Senioren nun schon aus. Nur die Vermutung, dass die Zeit »dort« (wo Astrid ist) inzwischen kaum vergangen sein könnte, ließ mein einsames Hirn nicht aufgeben. Ich glaube fest daran, dass Astrid wohl nicht leidet, da sie noch nichts weiß und nichts ahnt. Das ist viel wert, mindert aber nicht meine Sehnsucht nach ihr. Im Bairischen heißt Sehnsucht »Zeitlang«. Nach sieben Monaten Exil in der Körperlosigkeit bevorzuge ich den bairischen Ausdruck. Ich habe Zeitlang nach Astrid, nach Anfassen und Fühlen, Riechen und Schmecken, Angeschautwerden und Erzählen. Wobei sie, wenn die Vermutung über den Zeitstillstand stimmt, viel weniger zu erzählen hätte – aber keine Sorge, Frauen lassen sich von so etwas nicht beirren.

Im Vertrauen auf mein gespenstisch gutes Gedächtnis verzichtete ich die ganze Zeit über auf das, was ich in den ersten Tagen meiner »Sommerfrische« so eifrig getan habe: meine Beobachtungen zu formulieren und die Formulierungen in der Nacht auswendig zu lernen. Ich wusste schon am dritten Tage, dass dieses Memorieren eigener

Texte überflüssig war – ich würde nämlich auch noch nach Monaten alle Einzelheiten zusammenbringen.

Ich habe großes Zeitlang.

Es wird Zeit, wieder einen Berichtstext zu zimmern und zugleich auswendig zu lernen. Aufschreiben kann ich ja immer noch nichts, Geister hinterlassen keine Spur.

Hier ist, was mir während der vergangenen siebeneinhalb Monate besonders auffiel:

Am 28. September 1958, dem letzten Sonntag des Monats, macht Willy eine Wanderung auf den Hochgern. Er geht fast nur auf Berge, von denen aus man den Chiemsee sehen kann. An diese Tour erinnere ich mich noch mit meinem Altersgedächtnis: Sie war herrlich. Diesmal ist sie für mich aber sehr viel unangenehmer, vor allem der Abstieg über die Staudacher Alm. Da geht man zuletzt eine Fahrstraße entlang, neben einem Bachbett mit vielen großen Steinen.

Willy hat plötzlich Lust, den Weg im Bachbett fortzusetzen, er springt von Stein zu Stein weiter ins Tal. Dieses Springen ist für mich eine Tortur: Gut hundert Mal sehe ich Willy abstürzen, weiß vollkommen sicher, dass er den nächsten Stein verfehlen wird. Ebenso sicher weiß der Junge das Gegenteil. Ich sollte ja ruhig bleiben, ich habe gut im Gedächtnis, dass damals nicht das Geringste passiert ist. Aber schon die schwache Möglichkeit, dass die Dinge jetzt auch hier eine andere Wendung nehmen, macht mir Angst.

Das ist es, was junge Menschen so unerträglich macht: Von einem Bachbett voller Steine und Wildwasser nehmen sie nur wahr, wie und dass sie sicher hinüberkommen. Mein altes Hirn hingegen sieht einen Sturz nach dem anderen – Abrutschen hier, Verlust des Gleichgewichts dort, dann wieder kippt ein Stein. Jedes Mal sichere Knochenbrüche, wiederholtes Ertrinken, mal mit Schädelbruch, mal ohne. Schließlich ein furchtbar trauriges Begräbnis mit Abschiedsworten von Dekan Klein. Aber erst dann, wenn man die Leiche gefunden hat! Darüber wird es wohl Frühling werden.

Meine Erfahrung und Phantasie blicken so viel weiter als die von Willy! Aber er springt einfach, macht sich einen Spaß daraus, dem Tod ein Schnippchen zu schlagen! Und schafft es sogar. Wirklich, unerträglich.

Was noch? Ab und zu radelt Willy nach Süden zur Autobahn, um eine Weile auf der Brücke nach Sossau zu stehen und den Autos zuzuhören, wie sie sich mit hellem Motorklang nähern und mit tieferem entfernen, das ist der »Dopplereffekt«. Ja, ich brauchte das Alleinsein damals, und unbedingt dort, wo niemand mich vermutete. Von zu Hause weg sein. Mit all diesen Autos und Lastwagen weit weg fahren, in ein anderes Leben voller Schätze und Eroberungen, auch Gefahren (Bachbetten waren darunter wohl die geringsten), und dabei stellte ich mir die Frage: Wer bin ich – der hier unter mir, der Große da vorn, der Kleine dort drüben –, mit welchem Auto fahre ich wohin? Willy steht oft sehr lange auf dieser Brücke, daheim warten die Hausaufgaben.

Anfang Oktober ist Ludwig Banholzer zu Besuch, ein Forstrat aus dem Inntal, ein rundlicher kleiner Mann mit weißer Löwenmähne, begabt mit einer klangvollen Stimme, die ihn verführt, stets ein wenig zu deklamieren wie ein Bühnenschauspieler. Am markantesten sind seine scharf blickenden dunklen Augen, er könnte ein alter Inder sein, einer der Weisesten.

Banholzer kommt, weil er neue Bilder von Fedor Traumleben anschauen will, und vielleicht wird er eines für sein neues Haus in Übersee kaufen. Banholzer hat Jagdbücher geschrieben, die ihm Geld einbrachten: Er fährt sogar einen Mercedes 170 S, das ist der mit den stolz geschwungenen Kotflügeln, die Scheinwerfer stehen noch separat. Willy findet am ganzen Banholzer nur das Auto interessant.

Es ist ein melancholisches Wiedersehen. Großvater spricht kaum mit ihm, vielleicht rätselt er insgeheim, wer der Weißhaarige sein könnte. »Er ist sehr schwerhörig geworden«, sagt meine Mutter entschuldigend. »Es ist Banholzer!«, rufe ich von Willy aus hinüber, so laut ich auf meine stumme Art kann: »Banholzer, Ludwig, Forstrat!«, und tatsächlich, Großvater wendet sich plötzlich dem Besucher zu, nimmt seine Hand und drückt sie schweigend.

»Alter Freund!«, tremoliert Banholzer, »mein lieber Traumleben! Ach, ich freue mich, Sie zu sehen!« Er ist ein pathetischer Mensch, und sein Pathos ist echt. In Gegenwart solcher Menschen wird nie etwas wirklich peinlich, deshalb braucht man sie auch so dringend auf schwierigen Beerdigungen.

Ludwig Banholzer ist ein großer Jäger und Heger, vom Wald kann er stundenlang erzählen. 1935 haben ihm die Nazis angedroht, ihn als Förster zu entlassen, wenn er sich nicht von seiner jüdischen Frau trenne. Er tat es und versuchte danach vergebens, sie dennoch zu schützen. Er hätte ihr Leben aber nur retten können, wenn er sich von ihr nicht dem Wald zuliebe hätte scheiden lassen.

Ich habe Banholzer bei einem seiner Besuche gefragt, wie hoch Vögel fliegen können. »Das wissen wir nicht genau«, sagte er, »denn sie fliegen nicht so hoch, wie sie vielleicht könnten. Das ist anders als bei den Menschen.« Ich dachte: Aha, er weiß die Antwort nicht. Ich bohrte nach. Er wusste es aber doch: Kondore, Geier, Wildgänse und Störche kämen auf über zehn Kilometer Flughöhe. Die meisten Vögel blieben aber unter 150 Metern. Ich wollte von ihm auch wissen, warum Baumkronen rund und gleichmäßig sind, also, woher der einzelne Ast und Zweig weiß, dass er nicht immer weiter wachsen darf. Er antwortete: »Aus demselben Grund, aus dem das Eichenblatt weiß, dass es gezackt sein muss.« Wollte er auf Gott hinaus? Jedenfalls war ich davon überzeugt, dass er das nun wirklich nicht wusste.

Während Banholzer sich schon fast wieder verabschiedet – er hat ein Bild gekauft –, hört man von der Birkenallee her das fette Blubbern eines großen Motorrads. Onkel Taff, Mutters Bruder, der eigentlich Gustav heißt, steht bald darauf in seiner schwarzen Lederkluft im Wohnzimmer wie ein großer, schimmernder Bär.

»Habe ich richtig gehört?«, fragt Banholzer, »eine 750er?«

»Nein«, antwortet Onkel Taff, »es ist eine KS 601. Ein Gespann.«

»Der grüne Elefant, Zündapp?«

»So ist es.«

»Ich beglückwünsche Sie!«

Nun will niemand mehr Großvaters wehmütige Bilder betrachten, alle Männer außer ihm reden von den Vorzügen dieses Kraftrads und vom Lenken einer Maschine mit Seitenwagen. Beim Abschied sagt Banholzer zu seinem Freund: »Traumleben, wir sind die Letzten!« Die letzten was? Herren, Ritter, Menschen? Was er meint, ist unklar, aber es klingt vollkommen richtig. Auch Großvater versteht Banholzer nicht, aber er nimmt seine Rechte in beide Hände und sieht ihm freundlich rätselnd in die Augen.

Was Willy Tag für Tag in der Schule lernt, lasse ich aus, denn er lernt ja nicht. Ich begreife nicht, wie er in Klassenarbeiten bestehen kann. Vermutlich lernt er im Schlaf, denn er weiß Dinge, die er weder gehört noch gelesen hat, ich kann es bezeugen. Es könnte nun sein, dass sich hier meine Gegenwart auswirkt: Bei der Entscheidung zwischen einer falschen und einer richtigen Antwort gibt mein

Wissen ihm vielleicht einen winzigen Schubs von der falschen zur richtigen. In Aufsätzen streicht er ab und zu Sätze, die ich idiotisch finde. Aber was ist mit allem, was ich vergessen habe, etwa Griechisch und Latein? Gut, da lernt er manchmal. Und Mathematik? Da kann ich ihm nun wirklich nichts vermitteln! Aber stimmt, da ist er ja auch schlecht zum Gotterbarmen.

Der Monat Oktober ist voller wichtiger Ereignisse. Nicht nur erscheint Vaters neues Buch, es wird auch eine Ölheizung installiert, und vor der Tür steht ein fast neuer VW von einer Himmelsfarbe namens Stratosilber. Die Heckscheibe ist nicht mehr geteilt, es gibt zwei Auspuffrohre, und zum Gasgeben tritt man nicht mehr auf eine wacklige Rolle, sondern auf ein richtiges Pedal.

Vaters Buch, das ist das Merkwürdigste in diesem Monat, bekommt gute Kritiken! Überraschend ist daran für mich, das Zukunftshirn: Ich habe in genauer Erinnerung, dass die Kritiken damals schlecht, ja giftig waren, nur der Verkauf phänomenal. Ein neues Alarmzeichen: Entwickelt sich auch das Schicksal meiner Eltern anders, als ich bisher zu wissen meinte?

Aber der Reihe nach: Mitte Oktober ist noch einmal ein warmer Tag mit viel Wind, Willy segelt ein letztes Mal auf der holden Aida mit, die inzwischen noch morscher, aber notdürftig abgedichtet ist. Sie fahren nach Herrenchiemsee, zur Insel des kranken Königs, passend zum kranken Boot. Bei der Rückkehr muss Aida kreuzen, und als sie nahe Stöttham ist, schaut Willy durchs Glas auf sein Elternhaus und dabei auch auf die Bootshütte am Zipf. Ich erkenne auf diese Weise, dass deren Vordertür geschlossen ist. Natürlich ist sie das! Die Idee, dass eine Tür, die man in der Zukunft nicht zugemacht hat, dann auch in der Vergangenheit offen stehen könnte, ist schon grammatisch abwegig.

November. Nein, Vaters Buch schlägt nicht ein. Vielleicht ist es der Titel – was sollen die Leute im Buchladen sich denn unter *Schwarze Segel für Messenien* vorstellen? Aber dann weiß ich es wieder: Es ging mit dem Erfolg erst im Weihnachtsgeschäft los, vorher passierte gar nichts. Es ist noch Hoffnung.

In diesem Monat habe ich erstmals den Eindruck, dass es da einen kleinen Radiergummi geben muss, der ständig Details aus meiner Erinnerung löscht, sogar solche aus der Zeit meiner »Sommerfrische« selbst. Die Zukunft, aus der ich gekommen bin, verschwimmt immer mehr, die Zeit als Staatsanwalt wird löchrig, selbst meine besten Urteile in Strafsachen kriege ich nicht mehr zusammen. Wen habe ich noch zu neun Jahren verurteilt, damit er bayerische Schüler bis zum Abitur begleiten kann? Einen Kranführer namens –? Weg!

Hell leuchten aber weiter alle Erlebnisse mit Astrid, die Reisen, die Spaziergänge, die ruhigen Regentage im feuchtgrünen Chiemgau, jeder Zeichentrickfilm, den ich ihr zuliebe im Fernsehen anschaute, dazu ihr helles, nicht enden wollendes Gelächter. Klar und deutlich bleiben auch die Gespräche mit meinem alt gewordenen Vater.

Im Kino sieht Willy zusammen mit einem Schriftstellerkollegen seines Vaters, dem von der anderen Seeseite, den Film *Die Brücke am Kwai*. Das ist nun der Unterschied zwischen einem von Größe träumenden Jungen und einem Vierzigjährigen, der in jeder Hinsicht verwundet aus dem Krieg zurückgekommen ist: Willy zeigt sich begeistert von der Heldenfigur Oberst Nicholson. Diese Charakterstärke, dieses Durchhaltevermögen – ein Unbeugsamer, der den Japanern zeigt, wie man eine gute Brücke baut! Der Schriftsteller hingegen sagt: »Aber das ist doch ein ganz furchtbarer Kommisskopf! Riskiert alles, nur um dem Feind eine Brücke zu bauen – der hat doch vor lauter Charakter völlig die Orientierung verloren.« Man einigt sich darauf, dass Nicholson eine tragische Gestalt sei, denn Brückenbau sei an sich nichts Falsches. Aber Willy hat nicht wirklich verstanden, warum der Ältere seinen Obersten so gar nicht bewundern kann – immerhin spielt ihn doch Alec Guinness.

Wegen des sich abzeichnenden Misserfolges der *Schwarzen Segel* ist Vater trotz aller Tapferkeit deprimiert. Ich habe ihn nicht so mitleiderregend in Erinnerung. Der 16. November ist nun der Tag, an dem Willy den Vater auf seine Weise aufzumuntern versucht, und wenn ich könnte, würde ich ihn davon abhalten. Ja, er empfiehlt dem zerknitterten Vater tatsächlich Fritz Pachtners *Richtig denken – Richtig arbeiten* zur genauen Lektüre – und da sei auch ein Kapitel über erfolgreiches Schreiben drin. Unglaublich! Es ist wirklich gut gemeint, aber eine Demütigung. Ich erwarte jetzt Vaters souveräne Reaktion, die ich noch so genau weiß: Er las den Titel als »Richtig richtig«, schlug das Buch auf, stieß auf die Überschrift »Aufgeben – nie!« und sagte: »Aha, eine Kraftzeitung! Ich glaube, das ist nichts für mich, aber danke!« Womit er das Buch wieder in Willys Hände legte und in sein Zimmer verschwand.

»Kraftzeitung« ist an sich ein eher bairischer Begriff, er stammt aus einer Redensart, mit der allzu großspurige Ankündigungen bespöttelt werden: »Sag mal, hast du eine Kraftzeitung gelesen?«

Ja, und jetzt verläuft ebendiese Szene ganz anders! Vater betrachtet das Buch etwas traurig und sagt nur: »Gut, wenn du meinst, vielleicht finde ich darin etwas Nützliches.« Ich denke noch den ganzen Tag darüber nach – was wird aus meinem Vater, wenn er schon hier so niedergeschlagen reagiert? Etwas anderes wohl, als ich bisher wusste.

In Liebesdingen kommen Willy und ich nicht auf einen Nenner, wie auch? Er liebt dieses schwarzhaarige Prinzesschen, dieses Dornröschen, das ständig mit Freundinnen herumkichert und Jungen geflissentlich übersieht. Ich hingegen schwärme für Fräulein Dr. Fafner – nein, ich will bescheiden sein, mir wird einfach wärmer ums kalte Herz, wenn ich an die nächste Biologiestunde denke. Wenn Willy wieder einmal bei ihr eingepennt ist, verlasse ich ihn und drücke ihr einen von ihr nicht bemerkten Kuss aufs Ohr oder hinters Ohr. Sie auf den Mund zu küssen versage ich mir, das gehört sich nicht gegenüber Damen, die gerade Unterricht halten.

Zwischen mir und Großvater entsteht so etwas wie eine Freundschaft. Zwar hat er jedes Mal vergessen, dass ich die Nächte vorher auch schon mit ihm sprach, aber das hat sein Gutes: Er freut sich immer von Neuem. Ich bekomme heraus, dass er sich während seiner eigenen Sommerfrische an ein anderes Leben erinnert hat, es gibt da also eine zweite Vergangenheit: Zwar war er auch in dieser ein Maler, aber ein hochgeachteter, sogar berühmt. In dem Leben, in das er dann also nicht mehr zurückkehren durfte, scheint er mit Gabriele Münter und Freund Jawlensky in bayerischen Wiesen gestanden und Berge gemalt zu haben. Er hat mehr verkauft, mehr getrunken, mehr geraucht und hatte überdies neben Großmutter eine Geliebte. Vielleicht waren es mehrere, er weiß aber nur noch von einer? Die Frage, welches nun seine wirkliche Wirklichkeit gewesen ist, die mit der Geliebten oder die ohne, führt zu keiner verwertbaren Antwort. Als Richter würde ich sie aus dem Protokoll streichen lassen.

Ich habe mich auf Großvater gut eingehört, entschlüssele mühelos alles, was andere unzusammenhängend finden würden. Auch wenn er viele eher unwichtige Aufgaben nicht mehr bewältigt oder manchmal etwas durcheinanderbringt – seine Einstellung zu den Misshelligkeiten des Alters ist weise zu nennen. Ich lerne von ihm zwar nicht, wie ich die Rückkehr ins eigene Alter beschleunigen kann. Aber ich kann ihn mir als Vorbild nehmen dafür, wie man etwas ruhig hinnimmt, das sich durch Zorn und Beschwerden nicht ändern wird, durch Selbstmitleid schon gar nicht.

Ich habe ihn gefragt: »Hast du Angst vor dem Sterben?«

»Nicht sehr.«

»Aber du möchtest noch leben.«

»Schon, aber Sterben muss auch sein. Es ist, wie wenn man ein Buch zu Ende liest.«

Willy führt viele Gespräche und bekommt viele Dummheiten mit. Er ereifert sich dabei selten, denn erstens ist er phlegmatisch, und zweitens hat er keine Ahnung. Ich hingegen könnte rasen über manches, was ich da hören muss: Ständige Verteufelung der Sozialdemokratie als kommunistisch und der Kommunisten als Verbrecher. Immer noch Antisemitismus. Blinder Glaube an die Weisheit des Marktes (er halte von allein vernünftige Grenzen ein, schließlich seien ja die Kunden vernünftige Menschen). Naiver Glaube an das Schneller-Höher-Weiter der Technik – als gut gilt, was ein Maximum an Energie freisetzt. Energie zu sparen fällt 1958 niemandem ein, der das Geld hat, sie zu verpulvern. Dann: ein ungebrochener Glaube an die deutsche Überlegenheit in allem, mitleidige Verachtung für den Rest der Welt, außer es handelt sich um Nordamerika. Ressentiments gegen Fremde (das fängt schon bei den Rheinländern an). Und immer wieder entsetzliche Ansichten über Musik, Filme, moderne Kunst, Literatur, Liebe, Erotik, Schönheit, Kleidung, Politik und Politiker.

Willy schwimmt in dieser Meinungssuppe unbekümmert mit, sie gehört zu der ihm vertrauten Welt. Ich aber möchte manchmal vor Zorn in irgendeine Haut fahren und herumdonnern. Aber hör auf, dich zu erregen, Weitling – natürlich hörst du hier einiges, was sich in deinen alten Jahren als Blödsinn erweisen wird. Genieße lieber, wie sie hier alle noch an Fortschritt, Vernunft und Zukunft glauben, an immer neue Entdeckungen in einer angenehm nach frisch angerauchten Zigaretten duftenden, sehr weiten Welt.

Der Junge hat *Die Dämonen* ausgelesen, bravo! Er wollte sehen, was das für eine Geschichte ist und was für ein Ende sie hat. Bei Romanen von über tausend Seiten ist dies nicht durch das Lesen der letzten zehn feststellbar. Ich weiß nicht mehr, was Willy aus dem Roman mitnimmt. Sicher keine Lehre, nicht einmal eine Warnung. Vielleicht mehr Ahnungsvermögen für Abgründe. Aber es kommt ja dann auch darauf an, ob man solche vermeiden will. Auch Dschugaschwili, ein junger Georgier, der sich später Stalin nannte, hat wie gebannt *Die Dämonen* gelesen. Literatur kann fesseln, aber sie schreibt keine Verfassungen.

Im Dezember stirbt der gelbe Kater Muck. Eines Tages liegt er starr, mit offenen Augen vor seinem Milchnapf in der Küche. Das kommt auch für mich unerwartet. Nach meiner Erinnerung ist das Tier erst ein Jahr später gestorben, aber hier habe ich wohl einfach mal geirrt. Willy weint heftig, aber heimlich in seinem Zimmer, weil ein Mann nicht um eine Katze weint. Er beerdigt Muck unter einer der Birken. Das mit den Wurzeln hat er sich leichter vorgestellt. Als Grabstein dient eine kleine Marmorplatte, auf der Großvater im Krieg seine Farben gerieben hat.

Mit seiner Mutter besucht Willy einen der Bauernhöfe im Süden Chiemings, den Huber zu Oberhochstätt. Sie kennt die Bäuerin, weil auch diese 1946 im Traunsteiner Kreißsaal lag, als Willys Brüderchen Alexander ankam. An der Wand der Wohnstube, in der Nähe des Herrgottswinkels, hängt eine alte Stickerei auf Leinen, ein Sinnspruch. Er ist in gotischen Majuskeln geschrieben und sehr schwer lesbar. Es muss eine Zeit gegeben haben, da wollte man wichtige Einsichten eher Geheimnis bleiben lassen als zugänglich machen. Jedenfalls lese ich: »SICH FÜGEN BRINGT SEGEN« und denke: Was für ein unglaublicher, ja fataler Untertanenblödsinn! Bis ich merke, dass es doch »sich regen ...« heißt, die verschlungenen Buchstaben haben mir einen Streich gespielt. Nachdenken muss ich trotzdem. Stünde da wirklich »sich fügen«: Wäre der Spruch, bei wohlwollender Interpretation, doch in irgendeinem Sinn akzeptabel?

Willy hat wie immer völlig andere Gedanken als ich. Er blickt ohnehin nur sehr kurz in Herrgottswinkel. Von der Bäuerin hört er, er sei ja jetzt schon ein richtiges Mannsbild – so etwas verlangt volle Aufmerksamkeit.

Vor Weihnachten stürzt der Junge sich in bastlerische Aktivitäten: Aus Sperrholz sägt er Christbaumschmuck, ein Kästchen mit Klappdeckel für Mutters Farbbandreserven und ein Pfeifengestell. Über dreißig Pfeifen hat Vater sich angeschafft, um weniger Zigaretten zu rauchen, und er zeigt sich tatsächlich manchmal mit Pfeife. Aber es wird keine große Freundschaft daraus.

Beim Sägen, Bohren und Leimen vergisst Willy die Zeit. Er leckt sich vor Eifer die Lippen wund und schaltet das Radio nicht einmal aus, als der Suchdienst des Roten Kreuzes kommt. Dort brodeln immer noch der Krieg und seine Folgen, Namen von verschollenen Kindern und Erwachsenen werden genannt: »Zuletzt gesehen in Leitmeritz« oder: »Ohne Eltern aufgefunden bei Mährisch-Ostrau, Vorname vielleicht Rosi«, oder: »... seitdem geistig verwirrt, will in Litzmannstadt zur Schule gegangen sein«.

Willy zeigt beim Basteln Eigenschaften, die ihm sonst völlig fehlen, Geduld und Umsicht, und mit Holz kann er umgehen. Freilich ist das tagelange Anfertigen relativ nutzloser Gegenstände aus Holz eine Perversion mit Suchtcharakter, und nur weil sie von der Gesellschaft geduldet wird, fällt sie nicht auf.

Der Heilige Abend hat genau den Ablauf, an den ich mich erinnere. Mutter schmückt den Baum, die Geschenke sammeln sich in einem danebenstehenden, mit einem Leintuch ausgeschlagenen Wäschekorb, Willy darf nicht ins Wohnzimmer, den Tee gibt es in der Diele. Onkel Taff, der mit Zug und Bus gekommen ist, weil das Motorrad repariert wird, steht nervös herum. Sein dunkler Anzug spannt deutlich, bald öffnet er den schwer gefährdeten Jackettknopf. Die Männer rauchen, Vater bietet einen Korn an. »Gut, bevor ich mich schlagen lasse«, sagt der Onkel, sie kippen je zwei Schnäpse. Weihnachten verlangt eine aufgeräumte Stimmung, und man wird ja auch wieder singen müssen. Jetzt ist auch Großvater bis ans untere Ende der Treppe gekommen, und Mutter läutet mit dem silbernen Handglöckchen, sie hat den Moment abgepasst, wenn im Radio die Kinderchöre »O du fröhliche« schrillen, man strömt ins Weihnachtszimmer und summt oder brummt die Melodie mit.

Merkwürdig, dass sich niemand diesen einfachen Liedtext merkt, es ist doch jedes Jahr derselbe. »O Tannenbaum« können alle, vielleicht weil es ein Lied ohne religiöse Festlegungen ist. »Stille Nacht« wird von allen Traumlebens und Weitlings traditionell gemieden: zu kitschig, besonders der holde Knabe im lockigen Haar. »Stille Nacht« ist immer ein guter Grund, das Radio auszuschalten, man kann sich dann auch viel besser über die Geschenke unterhalten.

Willy denkt heute sicher besonders häufig sein Lieblingswort »verlogen«, aber er macht gute Miene, ruhiggestellt mit Geschenken: Da sind ein neues Radio, eine Luftpistole, Steigfelle für Hochtouren auf Skiern. Er holt sich gleich die Wanderkarte und beschäftigt sich mit »guten Bergen ohne Lift«.

Vater schenkt ihm eine Ausgabe von Wilhelm Weitlings *Garantien der Harmonie und Freiheit*, was Willy mit gespieltem Interesse hinnimmt. Er argwöhnt, dass es sich um eine Antwort auf das Richtig-Richtig-Buch handelt. Ich weiß, dass er es in jedem Fall für eine schlechte Idee hält – ein steinaltes und noch dazu kommunistisches Buch, bloß weil der Autor so heißt wie er! Aber beim Schenken ist Vater fast immer von linkischer Einfallslosigkeit, Geld wäre besser. Oder eine Stange Zigaretten – geraucht werden sie allemal.

Von Mutter gibt es Dinge, die sowieso gebraucht werden: ein blauer Parallelopullover, mehrere Paar dicke Socken fürs Skifahren (nur Unterwäsche ist als Geschenk tabu), aber auch eine hübsche lange Federschale aus Bakelit, mit kleinen Abteilungen für Büroklammern, Drehbleistiftminen und den Radiergummi. Und natürlich kriegt er noch mehrere andere Bücher.

Großvater hält einen Bildband über das Engadin in Händen, dort hat er einst gemalt. Er blättert darin hin und her und sagt: »Jetzt schau dir das an!«

Vater bekommt von Mutter ein Manuskript, an dem sie in den letzten sechs Monaten heimlich geschrieben hat, niemand hat etwas davon gemerkt – eine Familiengeschichte der Traumlebens, erzählt aus ihrer eigenen Sicht als Kind Desirée. Sie hat uns im Januar gelegentlich daraus vorgelesen, immer abends vor der Musik. Die Sprache war schön, die Bilder richtig, kein Kitsch, kein Pathos, aber viel Selbstironie und *understatement*, manchmal wirkte gerade das etwas kokett und aufgesetzt. Ich kannte meine Mutter zu gut, um das Buch zu lieben.

Und Weitling, der Geist? Kriegt natürlich gar nichts. Von Willys Geschenken interessiert mich nur der Weitling, ferner Marc Aurels *Selbstbetrachtungen*, jetzt zweisprachig in Deutsch und Griechisch. Aber ich kenne ja diese Bücher längst. Könnte Willy nicht Bücher kriegen, die ich nicht kenne? Allerdings, wenn er solche jetzt geschenkt bekäme, würde ich sie eben doch kennen. – Ach, ich habe genug, ich möchte zurück ins Unvorhergesehene, Unberechenbare, ins noch offene Leben.

Du da oben, hörst du das? Astrid ist mir ordentlich angetraut, kirchlich! Müsste dir eigentlich bekannt sein. Was ist jetzt mit dem Sakrament der Ehe? Fremdwort, wie? Hallo? Ich werde von Gott am Gottgewollten gehindert, na bravo!

So schimpfe ich vor mich hin, der Heilige Abend ist dafür genau die richtige Gelegenheit. Nur Großvater könnte etwas davon mitbekommen, aber was soll er schon sagen? Er murmelt: »Das Leben ist eines der schwersten.« Diesen Satz hat er immer gesagt, wenn an einem Schlamassel nichts zu ändern war und wenn nur noch eher dadaistische Wahrheiten halfen.

Am Abend gibt es Käsetoast, weitere Schnäpse, Bier und einen Salat aus Heringen, Roter Bete und Zwiebeln, der vorzüglich schmeckt, jedenfalls Willy, ich weiß das immerhin noch. Die Stimmung ist gut, versöhnlich. Wir haben am Heiligen Abend nie gestritten. Weihnachten verlief trotzdem gegen Ende der Fünfzigerjahre etwas schleppend. Christliche Feste bei Agnostikern – es feiert sich mühsam, wenn man nichts zu feiern hat.

Dann werden die Kerzen mit langen Pappröhren ausgepustet, damit man auch morgen noch etwas davon hat. Gegen zehn macht Willy mit seinen Eltern einen Spaziergang am See entlang, sie genießen das Dorfweltgefühl: Hinter den erleuchteten Fenstern herrscht überall Weihnachten, da ist die Freude der Schenker und Beschenkten zu spüren, jedenfalls möchte man es annehmen. Willy denkt dabei zweifellos immer wieder »verlogen«, ohne sich ganz sicher zu sein.

Später noch viel Qualm, viel Bier, und irgendwann geht Willy mit wohliger Beschwipstheit ins Bett, angeblich um noch etwas in den Marc Aurel zu schauen, in Wahrheit liest er ein Heftchen zu Ende: *Jörn Farrows U-Boot-Abenteuer*, danach schläft er über dem neuesten Donald-Duck-Sonderheft ein und lässt sämtliche Lichter brennen, darin ist er verlässlich.

Der Januar ist anfangs so warm wie der Dezember, an Skifahren ist zunächst nicht zu denken. Aber pünktlich vor Beginn der Klassenfahrt zur schuleigenen Hütte – sie liegt in der Nähe des Hohen Göll im Berchtesgadener Land – beginnt es stark zu schneien. Dort ist Willy schon ein paarmal gewesen, nichts hat sich geändert. Diesmal hat Sportlehrer Engler die Leitung, ein Berliner mit hellen Augen, und ein Kunsterzieher namens Georg Huber ist mit von der Partie, ein schweigsamer Pfeifenraucher. Man tritt einen Hang im Treppenschritt so lange, bis er eine Piste ist, dann fährt man Ski, bis die Dunkelheit hereinbricht. Für mich sind diese Abfahrten wieder so beängstigend wie im Herbst der Abstieg vom Hochgern: Ich betrachte alles von jenen zerbrechlichen alten Knochen her, die ich im Moment noch nicht einmal habe – bei jedem kleinen Abrutschen sehe ich Willy schon auf der Tragbahre der Sanitäter.

Abends trinkt man heimlich Bier im Schlafsaal, gewinnt Freunde durch die mitgebrachte Salami, mit der sich spartanische Erbsensuppen veredeln lassen, und schwärmt von amerikanischen Stars wie Elvis Presley und Fidel Castro. Die Toilette heißt »das Palermo«, weil über ihre allzu ritzenreiche Tür ein Plakatbild dieser italienischen Stadt gehängt worden ist. Glücklicherweise gibt es nur noch wenige Schüler, die ständig durch meisterliches Rülpsen oder

Furzen Aufmerksamkeit zu erregen versuchen, und sie ernten nicht mehr die sicheren Lacher wie vor zwei Jahren.

Willy schlägt sich als Skifahrer eher mühsam durch. Seine Ski sind zwar recht gut: »Holzner Rasant« von 2,15 Metern Länge mit Markerdreieck und Tyrolia-Kabelbindung. Aber er ist alles andere als eine Begabung. Parallelschwünge ohne Anstemmen, das macht er ganz routiniert. Aber Wedeln ist nicht seine Sache, außer nach drei Bieren oder mehr – dann macht ihm das Hinfallen nichts mehr aus. Beim Slalom strengt er sich enorm an, um keine Stange auszulassen, stürzt aber und durchmisst den letzten Teil der Strecke auf dem verlängerten Rückgrat. Als er keuchend wieder auf die Beine zu kommen versucht, blickt er in Englers helle Augen, und der sagt: »Na? Das hat den kleinen Geist erschüttert, was? Aber so leid es mir tut – marsch rauf zum letzten Tor!«

Wer schlecht Ski fährt, genießt wenig Prestige. Er hat auch kein Glück bei den Frauen. Willy hat versucht, seine Unbegabtheit auszugleichen. Tag für Tag ist er in den letzten Wintern die Rossgasse hinuntergefahren, einen buchstäblich mörderischen Steilhang am Rauschberg. Als er nach dem ersten Mal wieder im Zug nach Traunstein saß, fragten ihn Mitreisende, ob er in einen Bach gefallen sei. Er hat sich danach aber bis zu annähernd sturzfreien Abfahrten durchgebissen.

Den Spruch über den »kleinen Geist« habe ich nie vergessen, aber ich weiß jetzt: Engler ist ein guter Sportlehrer aus dem Geist des Wettkampfs. Er fühlt sich nicht verpflichtet, die harte Welt zwecks Ermutigung zu einer heilen umzuschminken: Wer es nicht schafft, kriegt kein Trostpflaster. Dann wird er sein Bestes eben woanders geben – Englers freundliches Interesse ist ihm gewiss. Man hört, dass dieser Mann gut boxen kann, aber wegen seiner Kleinheit auf eine professionelle Karriere verzichten musste. Vielleicht nur ein Gerücht. Aber Ziehharmonika spielen kann er gut, »irrsinnig« gut. Das Wort hat gerade Konjunktur.

Es ist Ende Januar. Willy ist immer noch sehr braun von der Sonne am Hohen Göll. Er denkt möglicherweise, er sähe jetzt gut genug aus, um Roswitha anzusprechen – das ist das schwarzhaarige Prinzesschen mit dem Petticoat. Er lauert ihr geradezu auf, an einer Ecke, wo sie nur entweder weglaufen oder ihm zuhören kann. Das ist schon mal bedenklich. Er sagt dann: »He, wart mal, kann ich dir was sagen!«

»Ja? Was sagst du denn?«

»Ich glaube, ich liebe dich.«

Als Anfang eher nicht so gut, denke ich.

»Du glaubst? Also du weißt es nicht genau? Ich weiß es leider auch nicht.«

»Ob du mich liebst?«

»Nein, nein. Ich liebe dich nicht. Ich meine, du bist zwar wirklich sehr nett …«

Klarer Fall, Willy gehört allenfalls zum sehr erweiterten Favoritenkreis. Das Wort »nett« ist für ihn ab jetzt für alle Zeiten negativ besetzt, er selbst wird es nur noch sagen, wenn er etwas verachtungsvoll ablehnt. Ich pflegte noch als Richter unzureichende Schriftsätze mit »nett« zu kommentieren.

Ich könnte für Willy ein ganzes Richtig-Richtig-Buch schreiben über das, was Frauen gern hören und was nicht, oder darüber, wann sie Nein sagen und Ja meinen und wann sie Ja sagen und Nein meinen. Aber er ist und bleibt für mich unerreichbar. Vielleicht ist das gut so. Denn ich gäbe dieser Liebe, würde sie tatsächlich alle beide ergreifen, keine zwei Wochen. Das Mädchen ist sensibel und kompliziert, Willy ebenfalls. Aus der Sache könnte nur dann etwas werden, wenn sie sich in zehn Jahren zufällig wiederträfen, jetzt nicht. Der Satz »Ich liebe dich« muss locker kommen, aus der Hüfte sozusagen. Oder man muss sich lange an ihn herangepirscht und dabei das Mädchen keine Sekunde gelangweilt haben.

Willy leidet, ich habe Mitgefühl. Er beschäftigt sich jetzt auffallend oft mit Kriegs- und Männergeschichten von Jörn Farrow bis *Lohn der Angst*, oder er marschiert mit Jack London durch die Eiswüsten Alaskas. Sein Blick ruht interessiert auf frauenverachtenden Aussprüchen, und zweifellos wäre es ihm recht, wenn er Roswitha »verklemmt«, »blödes Weibsstück« oder, was er als Möglichkeit jetzt erst entdeckt, »lesbisch« nennen könnte.

Aber er tut nichts dergleichen, denn seine Sehnsucht brennt noch eine ganze Weile. Besonders oft fährt er jetzt mit dem Rad trotz Schnee und Eis zur Sossauer Brücke und blickt auf die Autobahn – mit besonderem Augenmerk für schwere, schnelle Tourenwagen vom Mercedes aufwärts. Es ist die Ära des Werbespruchs »Pack den Tiger in den Tank«.

Roswitha wird ihm in den Jahren bis zum Abitur noch gelegentlich zuwinken, danach werden sie sich gänzlich aus den Augen verlieren, erst in den Achtzigerjahren wird Dr. Weitling erfahren, dass Roswitha inzwischen einen anderen Nachnamen hat, dazu zwei Söhne – prächtige natürlich –, und eine schneidige politische Journalistin geworden ist, bekannt für ihre Interviews (»Sie glauben? Wissen Sie es denn auch?«). Roswitha als Frau eines Richters in Berlin? Ich habe mich diesen Phantasien nicht mehr hingegeben, spätestens seit ich überzeugt war, es ohne sie besser getroffen zu haben.

Im Kino sieht Willy Anfang Februar *Wir Wunderkinder* von Kurt Hoffmann, mit Robert Graf als fiesem Nazi. Schauspieler sein, das wäre was. Grausame Menschen darstellen von Nikolaj Stawrogin bis Richard III., das könnte er vielleicht. Willy weiß: Er kann gut Leute nachmachen, die Druck ausüben und Furcht verbreiten. Aber auch solche, die sich nur aufblasen und nicht das Geringste zu sagen haben. Er kann majestätische Nullen nachahmen, die unerträglich langsam sprechen. Ebenso gut mimt er tyrannische Vielfrager, die ihr Opfer traktieren wie eine Spinne die Fliege. Und er kann wie Eugen Pätzke reden, ein notorischer Altnazi, der zu sagen pflegt, Hitler habe alles richtig gemacht, er hätte nur ein paar Übertreibungen weglassen sollen.

Willy wäre gern Schauspieler, er möchte furchtbare Menschen darstellen. Da kann man schlagartig berühmt werden wie dieser junge Kerl, Mario Adorf mit Namen, als Serienmörder in *Nachts, wenn der Teufel kam*.

Irgendwann hat der alte Pätzke behauptet, Juden gerettet zu haben, fügte aber »aus leidvoller Erfahrung« hinzu, dass sie zu tiefen Empfindungen und wirklich schöpferischen Leistungen nicht fähig seien – man höre sich nur die Musik Felix Mendelssohn-Bartholdys an. Ich suchte vergeblich nach einem Gegenargument. Wie kann man einem Pätzke beweisen, dass Mendelssohn doch ziemlich schöpferisch war? Und, noch schlimmer: Womit lässt sich »Tiefe« messen?

Pätzke ist inzwischen sonderbar geworden, viel vergesslicher als Großvater, selbst der Name Hitler kommt nicht mehr zuverlässig. Willy überwindet seine Abneigung und redet mit ihm auf einer Bank am See über Ausgrabungen. Denn Pätzke soll mal einen antiken Tempel gefunden haben, und Willy fragt sich, ob Archäologie etwas für ihn sei. Immerhin arbeitet man da nur bei schönem Wetter.

Viel kann er von Pätzke nicht mehr erfahren. Aber ich, der Geist von übermorgen, kann mit ihm Verbindung aufnehmen. Ich habe inzwischen mehrere Gesprächspartner, die auf meine Fragen antworten, denn ich habe gewagt, nachts das Haus am Hang zu verlassen und durchs Dorf zu geistern. Manche, mit denen ich sprach, haben von dem Phänomen »Sommerfrische« nie etwas mitbekommen. Andere haben es erlebt, nur sind ihnen ihre beiden Leben völlig aus dem Gedächtnis entschwunden, erst das ehemalige und dann auch das, in dem sie sich zurzeit befinden. Schwer Betrunkene können mich zwar hören, aber es ist nicht viel mit ihnen anzufangen. Aber ergiebig sind einige alte Menschen, selbst wenn sie nur im Schlaf sprechen.

Unerwartete Zeitreisen sind offenbar ein recht verbreiteter Vorgang. Ob und wann die Ausflüge ein Ende finden, darüber gibt es unterschiedliche Ansichten. Ich habe erfahren, dass einige der Zeitversetzten stecken geblieben sind – sie kehrten nicht mehr in ihre Zukunft zurück, lösten sich irgendwann auch als Geister auf. Es wird damit zusammenhängen, dass während ihrer Reise ihr Körper dort starb, wo sie herkamen: in der Zukunft, also während einer (dort) sehr kurzen Zeitspanne. Sollte mir das passieren, weil der alte Mann den Sturm nicht übersteht, dann gäbe es eine Leiche und eine trauernde Witwe. Ich wäre dann wohl auch als Geist ausgelöscht, und Willy ginge seinen Weg weiter, vielleicht einen anderen als den, von dem ich bisher wusste. Aber noch hoffe ich, dass Richter Weitling überlebt und ich, sein Ich, wieder zu ihm zurückkehren darf.

Nicht zu leugnen: Vater bekommt den großen Literaturpreis, den ich in so genauer Erinnerung habe, definitiv nicht! Ich vermute, es wird keinen Aufstieg zum bekannten Autor geben und sicher auch nicht die triumphale Südafrikareise, auf der ich ihn begleitet habe – und auf der wir uns politisch so sehr in die Haare gerieten. Dafür streitet sich Willy jetzt, Mitte Februar, am Mittagstisch mit Vater über Südafrika, trotz wunderbarer Pfannkuchen mit Apfelmus. Willy hat recht, wenn er der Apartheid keine

Chance gibt, ich weiß ja, wie es mit ihr enden wird. Aber er ist dabei so widerlich arrogant, dass Vater ihn anherrscht, er solle sofort auf sein Zimmer gehen. Willy sagt im Gehen: »Bitte sehr! Wenn du glaubst, dass dadurch deine Ansichten gescheiter werden ...«

Er steigt die Treppe hinauf, und als er oben ist, ruft ihm Vater von unten nach: »Eines fehlt mir dazu noch!« Die volle Schüssel mit dem Apfelmus landet knapp hinter Willys Füßen auf der Stufe. Scheinbar ungerührt geht er in sein Zimmer und dreht vorsichtshalber den Schlüssel herum. Während sein Kopf vor Aufregung dröhnt, liest er im Donald-Duck-Heft. Der Wutausbruch zeigt Vaters wachsende Unsicherheit und Nervosität, aber – er imponiert Willy. Alles schluckt sein Vater also nicht. Nach einiger Zeit hört er, wie Mutter mit der Kehrichtschaufel die Treppe von Apfelmus und Porzellanscherben befreit.

Vater hätte eben nicht behaupten sollen, die Apartheid sei eine »weise Politik«. Mir, dem Geist, ist der ganze Vorfall neu, er hat sich in meiner Erinnerung nicht ereignet, ich schwöre es! Ein neues Leben löst sich hier rapide vom erinnerten ab, meine Sorge wird täglich größer.

März. Der Mensch unter dreißig ist mit Werden beschäftigt, und viele wollen ihm dabei helfen. Am Ende der Fünfzigerjahre ist das nicht sehr schwer. Es herrscht Vollbeschäftigung, und es gibt keinen Numerus clausus als Hindernis für ein Hochschulstudium. Überall warten Fortschritt und Arbeit. Willys Zukunft ist rosig. Alles steht ihm offen, wenn er nicht an sich selbst scheitert. Undenkbar, dass das Leben jemals schwerer werden könnte.

In der Schule erscheint ein Berufsberater vom Arbeitsamt und spricht mit den künftigen Abiturienten. Einzeln werden sie in seinen Raum gebeten. Der Mann hat nur noch am Hinterkopf Haare, die er aber nach vorn kämmt und mit einer Creme festklebt. Er ist freundlich, macht

Witze und stellt einkreisende Fragen. Was Willy denn am liebsten tue. Basteln, antwortet Willy, Sachen aus Holz. Ob er auch den Wald liebe. Ja, sehr. Schnell ist Willys künftiger Beruf ermittelt: Er wird Diplom-Holzwirt werden. Dieses Fach kann er in Rosenheim studieren und dann ein halbes Jahrhundert lang holzkundig durch den Wald stapfen. Die Idee gefällt ihm – mindestens eine Woche.

Tage später passiert die Sache mit dem Oblivon. Vater hat sich für die Lesungen, die er aus seinen Büchern zu halten hat, aus London dieses Medikament gegen Schüchternheit und Verzagtheit schicken lassen. Oblivon ist eine »Heldenpille«, ein Psychopharmakon der britischen Schering. Vater hat zu Mutter eine halblaute Bemerkung gemacht, Willy hat sie gehört und ohne viel Mühe das Schraubgläschen gefunden. Es sind durchsichtige, blau schimmernde Kapseln, er beschließt, eine zu stehlen und in der Schule auszuprobieren. Im Deutschunterricht bei Oberstudienrat Wöhner soll er ein Referat halten, er wählte das Thema »Geschichte der Seefahrt«, weil er sich dafür mal ein paar Monate glühend interessiert hat. Die Heldenpille schluckt er schon im Schulbus. Nach Beginn der Deutschstunde verkündet Wöhner, an sich stünde jetzt das Referat von Herrn Weitling an, doch dieser habe eine völlig unmögliche Gliederung eingereicht und werde daher kein Referat halten. Spöttisch liest der Lehrer vor: »A. Der Einbaum. B. Ruder und Riemen. C. Kiel und Planken. D. Die Erfindung des Segels. E. Über das Kreuzen am Winde.« Er wirft das Blatt verächtlich aufs Pult. Eine Gliederung bestehe aus A. Einleitung, B. Hauptteil und C. Schluss. Die Einleitung solle Aufmerksamkeit für das Thema erregen, der Schluss ein Fazit oder einen Ausblick auf Übergeordnetes enthalten. Er habe das letztens eine halbe Stunde lang erklärt. »Nur wenn einer die gesamte Zeit verschlafen hat, kann er derart ahnungslos sein.« Note »Sechs«, und Willy sitzt mit roten Ohren. Das ist, was er sonst so sehr fürchtet: eine Demütigung. Aber er ist heute ohne Angst und daher praktisch nicht zu demütigen. Er steht auf, ohne sich vorher gemeldet zu haben, und unterbricht den Lehrer: »Einen Augenblick bitte, Herr Professor!« Wöhner lauscht, verdutzt ob dieser Ungeheuerlichkeit, dem Vorschlag, den Willy ihm jetzt mit Gelassenheit, ja geradezu mit Bierruhe unterbreitet. Er sagt, er könne in fünf Minuten die Gliederung liefern, die dem Herrn Professor recht sei, und er wolle dann das Referat nach diesem neuen Plan halten. Wöhner holt Luft, aber es melden sich andere und finden, Weitling solle eine Chance bekommen, es könne jedem mal passieren, dass er etwas falsch verstehe. Der Lehrer, ein autoritärer Koloss, ein Schlachtschiff, gefürchtet in der ganzen Schule, ist notorisch hilflos, wenn Unerwartetes passiert – er stimmt verdattert zu. Vielleicht liegt es daran, dass auch er im Leben einiges »falsch verstanden« hat – aus ebendiesem Grunde ist er jetzt nur Oberstudienrat und nicht, wie bis vor vierzehn Jahren, Leiter eines Gymnasiums. Er lässt Willy gewähren, und der kritzelt kaltblütig und konzentriert eine neue Gliederung hin. Anschließend hält er ein flüssiges, lebendiges Referat, ohne auch nur ein einziges Mal auf seinen Zettel zu schauen. Note »Drei«! Ein Triumph der Chemie.

Ich hätte auch später manchmal gern zu diesem Mittel gegriffen, um eine Angst loszuwerden. Angst verhindert fast alles: Geistesgegenwart, Beschwingtheit, konzentriertes Denkvermögen, sie lässt den Menschen schlecht aussehen und alles zuverlässig versemmeln. Ich weiß freilich nicht, was Oblivon in meinem Gehirn angerichtet hätte, wenn es mir weiter zur Hand gewesen wäre. Es war aber bald keines mehr zu finden, weil mein zum Lampenfieber neigender Vater es zügig aufbrauchte. Ich nahm später gelegentlich Abasin, ein Medikament aus Leverkusen, damals rezeptfrei, inzwischen längst verboten. Dabei haben seit 1925 ganze Generationen ihre Prüfungen damit bestanden. Es war mit Oblivon nicht zu vergleichen, hat mir aber manchmal als Richter geholfen, eine ruhige Autorität bei Prozessen auszustrahlen, vor denen ich wochenlang gezittert hatte.

Ich habe während der Zeit mit Willy neu darüber nachgedacht, was es gewesen sein könnte, das mich hat Richter werden lassen. Sicherlich nicht nur Trotz gegen den Vater, das wäre albern. Ich strebte in diesen Beruf, weil dort die Freude winkte, zu richtigen, angemessenen, klugen Urteilen zu kommen. Das traute ich mir zu, denn es war etwas für einen Zauderer, der nichts unbeachtet ließ, bevor er handelte. In der übrigen Arbeitswelt hätte ich mich vielleicht nicht durchgesetzt, nicht nur wegen meiner Bedächtigkeit, sondern auch als schüchterner, über große Strecken eher depressiver Mensch. Ich habe zum Beispiel nie in offener Diskussionsrunde das Wort ergriffen – das taten andere zur Genüge.

Aber angetan mit einer Robe, als ein Mensch, bei dessen Erscheinen die Leute im Saal aufzustehen hatten, Repräsentant eines Amtes, vor dem ich mehr Respekt hatte als vor mir selbst und das jeden Respekt verdiente, war ich ein durchaus anderer. Ich vertrat das Gesetz. Daher, auch wenn ich mich sonst unzulänglich fühlte, wurden meine Selbstzweifel im Amt eher produktiv, sie schufen einen verlässlichen Richter.

Wir sind im April: Da kommt der Brief eines Verlegers, der Mutters Roman herausbringen will, und zwar schon im Herbst! Daran kann ich mich nicht nur nicht erinnern, ich weiß genau, dass es in meinem bisherigen Leben nicht passiert ist! Ich muss mein Kombinationsvermögen nicht mehr sehr anstrengen: Es gibt rückwirkende grundlegende Änderungen. Vater wird also kein Bestsellerautor werden, ziemlich sicher aber meine Mutter. Wie würde sich das auf Wilhelm Weitlings Leben, Variation Nr. 2, auswirken? Und auf das Leben meiner Eltern? Dass sich viel ändern wird, ist sicher.

Schwere Sorgen, vor allem aber Zeitlang! Ein Zeitlang, das keine Sau aushält, Geister auch nicht.

In diesem Monat April wird Willy vollends merkwürdig. Er neigt zu einer selbstquälerischen Trainiererei von allem Möglichen. Stundenlanges Rudern, Langläufe durch die Wälder, Hanteltraining, Schießübungen – er möchte offensichtlich ein gefährlicher Mensch werden. Zwischendurch übt er das Singen mit Kopfstimme, will pfeifen wie Ilse Werner und – seine besondere Spezialität – mit dem Fahrrad rückwärts fahren. Das geht, wenn er sich statt auf den Sattel auf den Lenker setzt und von dort aus die Pedale tritt. Wenn einer gemeingefährlich werden will, hat er hiermit gute Chancen.

»Lenkst du jetzt mit dem Arsch?«, wird er gefragt, als er rückwärts am Seeufer entlangfährt. »Was ist denn da der Sinn davon?«

Antwort: »Das kann halt nicht jeder.«

Ich denke mit Erleichterung an die gewaltsamen Selbstversuche zurück, die ich in der Jugend überstanden habe. Als Kind wollte ich ausprobieren, ob ich vom Verandatisch herunterspringen könne, ohne abzufedern, also steif wie ein Stock. Es tat beim Aufprall einen Knacks im Kopf. Ich fiel um und kriegte für eine Weile keine Luft. Ob meine spätere Neigung zu Bandscheibenproblemen mit diesem frühen Experiment zusammenhängt, weiß ich nicht.

Mit fünfzehn wollte ich sehen, was passiert, wenn man eine Zigarette auf der Haut ausdrückt. Ich kam zu folgenden Resultaten: 1. Ich eignete mich zum Helden. 2. Eine markstückgroße Stelle meines linken Unterarms wurde im Sommer nie wieder braun.

Mit achtzehn versuchte ich Vaters Ford aus voller Fahrt per »powerslide« auf der Stelle zu drehen. Mal sehen, ob ich es auch beim zweiten Mal überleben werde. Oder nein, ich will es lieber doch nicht wissen, vielen Dank.

Ich bin am Ende des Berichts, den ich mir im Kopf merken muss. Ob ich ihn dereinst aufschreiben kann, weiß ich nicht, aber selbst Geister können nicht ohne Hoffnung leben. Vielleicht vergesse ich ihn: Bei mir scheint eine Gedächtnislöschung im Gange zu sein, und zwar gezielt. Bestimmte einzelne Erinnerungen an die Sechziger-, Siebziger-, Achtzigerjahre fallen einer Art Verpixelung zum Opfer: Ich erkenne von ihnen nur noch Umrisse, aber mir fallen Namen und Orte nicht mehr ein. Etwa die Südafrikareise von 1961 ist wie weggeblasen, sie wird sicher gar nicht stattfinden, weil Vater sich weiterhin schlecht verkaufen und gar nicht erst eingeladen werden wird. Und selbst wenn er führe, wäre ich nach unserem Apfelmusstreit über die Apartheid wohl nicht dabei. So werden viele Erinnerungen wegen einer rückwirkenden Weichenstellung eliminiert.

Die Bundeswehrzeit ist noch vorhanden, wenn auch schemenhaft. Die Universitätszeit ist schon schlimmer ramponiert, ein irrer, wirrer Albtraum, der auf ein Studium der Geisteswissenschaften hindeutet, bestimmt nicht der Jurisprudenz. Auch meine »zukünftigste« Zeit, diejenige kurz vor dem Sturm, bekommt Lücken: War ich am Sonntag davor in der Kirche oder nicht?

Vielleicht kriege ich irgendwann auch diesen kleinen Bericht über meine Monate als Geist nicht mehr hin, vor allem, wenn aus noch viel mehr Monaten Sommerfrische Jahre geworden sein sollten.

Was aber soll das, was mir hier widerfährt? Soll ich etwas lernen? Habe ich vielleicht schon etwas gelernt? Wie ich hier herauskomme, jedenfalls nicht. Geduld? Demut? Notgedrungen ein bisschen. Vielleicht erlebe ich noch etwas, was mir einen Weg zeigt. Es soll, so las ich einmal auf der Chieminger Terrasse, im gewohnten Zeitstrom »Wurmlöcher« geben, Schlünde, durch welche Zeitreisen möglich sind. Aber was heißt möglich – wenn es sie gäbe, wären sie sicher Gott allein vorbehalten. Ranke sprach davon, dass alle Epochen »unmittelbar zu Gott« seien. Er könnte die Wurmlöcher im Auge gehabt haben.

Mein Rückblick auf die Monate des großen Zeitlang ist zu Ende. Heute ist der 10. Mai 1959, Fedor von Traumlebens Geburtstag. Er ist jetzt dreiundachtzig. Es ist Nacht, der Junge schläft, ich komme eben vom Großvater zurück. Es war ein trauriger Geburtstag, und er ist jetzt so schwach, dass er mir nicht mehr antworten kann. Er wird wohl zu dem Zeitpunkt sterben, der auf seinem Grabstein steht – oder jedenfalls stand, als ich ihn am Tag vor dem Sturm zuletzt las: am 14. Mai 1959, in vier Tagen.

Mutter ist jeden Tag zu ihm hinaufgegangen, hat ihn gewaschen, gefüttert, freundlich auf ihn eingeredet und dann hinter der Tür geweint. Sie hat sich sogar bei Willy ausgeweint, der ihr daraufhin kühl erklärte, alle Menschen müssten sterben. Hat noch keine Ahnung, was Krankheit und Sterben für das Gefühl bedeuten. Willy hält sich wie gewöhnlich für unberührbar – ich hingegen weiß, wie sehr und unaufhaltsam er weinen wird, wenn der Großvater dann wirklich tot daliegt, tot und mit sehr weißem Gesicht.

In der Nacht zum Donnerstag stirbt Großvater wie erwartet. Ich bin im Atelier neben dem Sterbebett, höre seinen letzten Atemzug, während Willy drüben schläft. Ich habe Glück, dass er immer noch gut schlafen kann, auch jetzt, da das Haus schon voller Trauer ist.

Auf Großvaters Staffelei steht nach wie vor sein letzter Versuch, dem »Krebsentier« sein Geheimnis zu entlocken.

Obwohl er mich vor wenigen Wochen noch hören konnte, haben wir nicht mehr viel gesprochen. Er hat mir aber längst auf seine Weise alles gesagt, und ich konnte das, was ich gehört habe, entschlüsseln. Etwa die »Sommerfrische«, die eine allzu neckische Verniedlichung dessen ist, was ich bis heute ertragen musste, übrigens das meiste davon in der kalten Jahreszeit!

Ferner weiß ich inzwischen, was »fest denken« bedeutet, ich hörte davon auch von anderen: Es ist ein starkes Wünschen, aber nicht panisch fordernd, sondern zuversichtlich, hingegeben und mutig. Die Mischung ist schwer zu treffen. Man muss dazu auch noch etwas Dankbarkeit fühlen, Dankbarkeit für das, was man von dem Ersehnten bereits bekommen hat, ein erkleckliches Sümmchen Liebe zum Beispiel. Bisher habe ich es in dieser Kunst wohl nicht weit genug gebracht, ich sehe noch keine Resultate.

Den Vormittag über liegt Großvater aufgebahrt, es kommen Menschen, die ihn noch einmal sehen wollen. Willy möchte vorsichtshalber mit dem Toten allein sein, weil er schon ahnt, dass er heftig und laut weinen muss.

Am Mittag kommt das lange schwarze Auto des Bestattungsunternehmens, Großvater wird jetzt in einem Kühlraum abgestellt bis zur Beerdigung.

Am Freitagvormittag sind erstaunlich viele Menschen in St. Johann, der Stötthamer Kirche, schwarz gewandet und traurig, und einige sagen: »Aber es war ja auch eine Erlösung.« Banholzer, der Forstrat und Walddenker, hält eine Abschiedsrede, bei der nur er selbst nicht weint.

Willy steht in der Menge am Grab, neben ihm ein alter Mann, der ständig den Kopf schüttelt und aufstöhnt oder »Nein« flüstert. Während des Vaterunsers spreche ich ihn an. »Wo geht es zurück in die Zukunft?«, frage ich ihn möglichst deutlich. »Mitbeten«, lautet die überraschend klare Antwort. Es ist aber nur noch das »Erlöse uns von dem Übel« übrig. Gut, ich spreche es möglichst artikuliert mit, kriege auch Reich, Kraft und Herrlichkeit gut hin und forme das Amen wie ein Burgschauspieler, nur dass kein Ton herauskommt.

Heute betet man »erlöse uns von dem Bösen«. Mir ist das lutherische »von dem Übel« lieber, ich weiß nicht, warum.

Am schlimmsten ist für Willy jetzt dieses Erdewerfen, ein dreistes Geprassel auf Großvaters Sargdeckel. Der würde sich das energisch verbitten. Und es ist ja gar nicht Erde, was die Leute da hinunterschippen, sondern gemeine oberbayerische Endmoräne: Kies mit Humuseinsprengseln.

Danach kommen Beileidsbekundungen. Die floskelhaften haben den Vorteil, dass man danach nicht weinen muss. Gefährlich sind treffende Sätze: »Ein lieber, kluger Kerl. Man musste ihm einfach helfen. Aber man durfte ja nicht immer.«

Willy ringt um Fassung, schafft es mit einiger Mühe, nicht zu heulen. Es gibt jetzt noch eine Art Gedenkmahlzeit beim Wirt, aber da geht er auf keinen Fall hin, er hat keinen Appetit, und er muss jetzt viel nachdenken.

Ich gebe zu, dass ich mich mit dem Jungen abgefunden habe, genauer gesagt, ich bin damit versöhnt, dass ich dieser Junge gewesen sein soll. Er hat zwar oft Angst und lügt sich das Gegenteil vor, stürzt sich in ehrgeizige Pläne und hält keinen davon durch. Er ist egozentrisch und doch alles andere als robust. Rundheraus, er ist kein besonders starker Mensch. Aber er ist nachdenklich und zur Liebe fähig, manchmal kümmert er sich sogar um andere, er hat »ein Herz« – das sind Anfälle von Selbstlosigkeit und Hilfsbereitschaft. Irgendwann, wenn er etwas mehr über sich und die Welt weiß, mag ihn solche Beherztheit bei den richtigen Gelegenheiten überkommen. Dass er nie auf die Idee kommt, sich zusammen mit anderen für ein großes Ziel anzustrengen, sehe ich. Und das ist mein Defizit geblieben: Engagement und Gesinnung waren klein-, Verständnis und Urteilsvermögen großgeschrieben. Folge: Schwierigkeiten mit 1968. Unsere Defizite bestimmen, was für Rollen wir spielen und was für Aufgaben wir übernehmen. Meine Aufgabe wurde die Unabhängigkeit, die personifizierte Nicht-Parteinahme. Könnte ich mir jetzt irgendeinen jungen Menschen aussuchen oder auch nur ausdenken, um ihn zu meinem jugendlichen Vorreiter zu machen, ich würde Willy wählen.

Er wandert am See entlang. Ganz in Gedanken kommt er bis zum Huberhölzl und fängt gewohnheitsgemäß an, nach alten Patronen zu suchen. Derzeit ist Niedrigwasser, weit ragen die Kieshalbinseln in den See hinein. Ich sehe eine Patrone, ja, tatsächlich, und Willy sieht sie nicht. Ich muss lachen. Willy, du blindes Huhn! Hältst im Jahre 1959 immer noch nach Patronen von 1945 Ausschau, siehst aber keine, und ich sehe sie mühelos.

Diese Patrone muss aus Edelmetall sein, sonst hätte sie der Korrosion nicht so gut standgehalten. Es wird die berühmte goldene Patrone sein, die George S. Patton im Frühjahr 1945 bei einem Fußbad im Chiemsee verlor, die, die er jahrelang symbolisch für Hitler bereitgehalten hatte.

Ja, ich sehe ihn ganz deutlich (Willy sieht natürlich nichts): Patton steht mit bloßen Füßen im jetzt plötzlich viel höheren Wasser, genießt die Schönheit von Hochfelln, Hochgern, Hochplatte und Kampenwand, vom Wilden Kaiser ganz zu schweigen. Da, jetzt stürmt sein Adjutant herbei, läuft platschend und spritzend durchs Wasser, wedelt mit einem Fernschreiben und ruft: »Entschuldigen Sie, Sir! Hitler hat Selbstmord begangen!«

Patton muss eine jähe Freudenträne abwischen, er zieht

dazu das Schnupftuch. Dabei fällt ihm die Patrone heraus, er merkt es nicht. Die Freude ist so groß, dass der General sie spontan begießen will – er bringt sich in Stellung und pinkelt einen majestätischen Strahl in den See. Der Adjutant schließt sich an, obwohl er sich mit dem Chef nicht messen kann. Nicht mit George S. Patton, der nicht nur einer der fähigsten Generäle, sondern auch der begabteste Distanzpinkler seiner Zeit ist.

Ich liebe es, mir solche Szenen auszudenken und mich darüber zur Wolke zu lachen wie ein Geist. Können Geister sich totlachen? Ich kann mir eher denken, dass Lachen der erste Schritt zu ihrer Erlösung ist. Nur als Vorschlag.

Bekanntlich mag der Chiemsee es überhaupt nicht, wenn man in ihn hineinpinkelt. Er kann da beinhart zurückschlagen. So auch jetzt: Er rauscht auf, kleine Wölkchen am Horizont werden binnen Sekunden zu einer schwarzen, undurchdringlichen Front, bald rast ein Weststurm. Ich lache immer noch. Aber das Lachen vergeht mir blitzartig. Denn ich werde gewaltsam von Willy abgezogen, obwohl der jetzt keineswegs schläft. Eine magnetische Gewalt reißt mich über den halben See, über Schaumkronen und durch peitschenden Regen. Ich schlage krachend in einem Boot auf, und das tut weh. Habe ich auf einmal wieder Knochen? Ich befinde mich in einer Plätte, die schon sehr viel Wasser aufgenommen hat, sie wird wohl gleich umschlagen.

Sie scheint es tatsächlich zu sein: meine Plätte! Das Boot meiner alten Tage. Der Wasserwachtkreuzer hält direkt auf mich zu. Ich habe mit einem Mal wieder alles: Arme und Beine, nasse Kleider, Schmerzen in der Schulter und ein steifes Kreuz.

Das ist sie, meine Rückkehr ins Alter! Ich liege in dem vollschlagenden Boot wie ein nasser Sack und könnte heulen vor Dankbarkeit: Es wäre ein Leichtes gewesen, den

Richter a. D. Wilhelm Weitling ganz woanders landen zu lassen – in einer Springflut im Pazifik, einem schmelzenden Atomreaktor, im Foltergefängnis einer Diktatur. Wer auch immer mich zurückkehren ließ, er hätte keinerlei Vorgaben einhalten müssen.

Ich hätte mich als jemand wiederfinden können, der auf einer brasilianischen Müllkippe von Abfall lebt, sogar als Afrikaner in einem Flüchtlingsdrama, in überfüllten Lagern, unterernährt und todkrank, in jeder Art von Ekel. Längst ist mir bewusst geworden, dass es für den Allmächtigen nicht einmal ein Problem wäre, meine Hautfarbe zu ändern.

Ich hatte immer stärker befürchtet, dass ich einen schrecklichen, riesigen Denkzettel erhalten würde: Selbstverständlich konnte auch meine bayerische Kindheit und Jugend, ja sogar alles, was ich gerade als Geist miterlebte, unnachsichtig ausradiert werden. Ich hatte angstvoll, aber ergeben auf einen völlig neuen Weg zum Tod gewartet.

Und jetzt dieses doch ganz einfache, vergleichsweise schonende Zurück: Chiemsee, nicht Pazifik! Segelboot, nicht Elendshütte! Und Hilfe naht. Ich richte mich mühsam auf, um mich den Rettern bemerkbar zu machen.

In diesem Moment kracht der Großbaum in meinen Hinterkopf – das Boot hat sich kurz vor den Wind gedreht, das Segel schlägt hinüber auf die andere Seite. Ich sehe beim Zuschlagen des Baums einen furchtbaren Blitz, mein Schädel kann unmöglich mehr ganz sein. Noch bin ich bei Bewusstsein, taub und blind zwar, aber am Leben. Dann sind plötzlich keine Geräusche mehr zu hören, ich sehe Farbenspiele, eine Art geometrisches Feuerwerk. Ich denke nur, das ist genau das, was schon die ganze Zeit das Logischste und Nächstliegende war: ein Ende genau in jenem Sturm. Sie werden mich bergen, aber als Toten.

Achtes Kapitel

Die fremde Frau

Allmählich kam ich wieder zu mir, und ich spürte starke Schmerzen im Hinterkopf, dazu hörte ich ein starkes Brummen, wie von einem großen Dieselmotor.

Es war ein Dieselmotor, der des Seenotkreuzers. Ich vernahm Worte, die mir erst allmählich etwas sagten: »Schwimmweste keine« und: »Ist das der, der angerufen hat?« »Genau. Irgend so ein Hirsch aus Berlin.« Der letzte Satzfetzen weckte in mir Protest. Aber ich war zu matt, um etwas zu sagen.

»Und, wie geht's uns?«, dröhnte eine Männerstimme so laut, dass ich wusste, das galt mir.

»Nicht so gut«, flüsterte ich, »ich habe ziemliche – verdammt noch mal!«

»Schmerzen? Wo? Am Kopf?«

»Ja, und das Herz. Bis da rauf, und in den Arm rein.«

»Das hat noch gefehlt!« Der Mann entfernte sich, ich hörte ihn irgendwo telefonieren. Er brüllte dabei kaum leiser als der Sturm, versuchte sich mit einem gewissen Christoph zu verabreden und nannte mehrmals meinen Namen. Jemand anders kam und gab mir eine Spritze in den Arm.

Als das Rettungsschiff in Gstadt unter Land kam, traf eben der Hubschrauber ein. Ich wurde ans Ufer gebracht, aber der Hubschrauber – Christoph sein Name – konnte mich nicht gleich aufnehmen. Während des Wartens gab es einen kleinen Blitz aus nächster Nähe, dann sprach der Mann mit der Kamera mich an: »Sie sind Herr Dr. Weitling, nicht wahr.«

»Ich hoffe das sehr.«

»Ich bin von der Kreiszeitung und würde gern …«

»Retter ohne Chance.«

»Wie bitte?«

»Ihre morgige Überschrift.«

»Wieso, Sie wurden ja gerettet, oder? Was ich wissen will: Können Sie segeln, haben Sie einen Segelschein?«

»Nie gehabt. Aber ich kann segeln.« Ich merkte, dass das wohl wie ein Schwur wirkte, weil ich meine Hand auf dem Herzen hatte.

»Das wird bezweifelt, weil Sie die Regeln nicht beachtet haben.«

»Ich kenne alle Regeln«, ächzte ich, »sogar die bayerische Vorfahrtsregel.«

»Es gibt keine bayerische Vorfahrtsregel!«

»Erlauben Sie mal …«

Die Schmerzen wurden absolut scheußlich.

»Von Beruf sind Sie …«

»Richter a. D.«, flüsterte ich.

»So? Mir hat man etwas anderes gesagt …«

Jetzt kommt das also, dachte ich. Ich bin jemand anders. Aber nicht mehr lange, der Tod steht bevor.

Ein Sanitäter drängte den Reporter sanft, wie in Zeitlupe, aber mit großer Kraft zur Seite.

»Entschuldigen Sie, aber das geht jetzt überhaupt nicht, der Mann hat einen Herzinfarkt!«

Ich und noch ein weiterer Patient wurden verladen, der Krach wurde unerträglich, Christoph hob ab. Jetzt den See von oben sehen, dachte ich. Ich konnte ihn nicht sehen, versuchte aber, ihn mir vorzustellen. Von Schmerz und Todesangst konnte mich aber auch das nicht ablenken, bis die Spritze endlich ihre Wirkung tat und ich in einen tiefen Schlaf fiel.

In der Nacht wachte ich vom Vibrieren meines Bettes auf – ich wurde durch einen Krankenhausflur gefahren und in ein Einzelzimmer gebracht. Der Kopf tat noch weh, aber er ließ Gedanken zu, vor allem Hoffnungen. Wenn ich aus der »Sommerfrische« schon in mein Segelboot auf dem Chiemsee zurückgefunden hatte, dann war es nicht mehr weit bis zu Astrid. Wenn sie nicht wiederauftauchte, bedeutete mir alles andere nichts. Dann hätte es genausogut die Müllkippe sein können, dort würden mir wenigstens Dinge klar werden, die ich im Leben nie begriffen hatte. Ich drehte mich zur Seite und versuchte noch etwas zu schlafen.

»Also, Herr Weitling, wir haben eine leichte Gehirnerschütterung, aber definitiv keinen Herzinfarkt«, sprach am Morgen ein Mensch im weißen Kittel. »Ein paar Zerrungen, aber alle Werte in Ordnung, keine Antikörper. Wir sind bald wieder zu Hause!«

Das »wir« störte mich, aber es ging mir trotz der Kopfschmerzen tatsächlich besser. Ich versuchte einen Witz.

»Wir kommen nach Hause?«, fragte ich mit brüchiger Stimme. »Zu Ihnen oder zu mir?«

Der Arzt war auf Witze nicht eingestellt.

»Nein, richtig nach Hause. Ihre Frau – Moment – ja, Frau Stella Weitling, nicht wahr, die wird Sie abholen. Ich mache gleich mal die Entlassung fertig, aber selbstverständlich frühstücken wir jetzt erst mal noch in Ruhe!«

Stella Weitling! Also doch eine fremde Frau, vielleicht eine dumme, vielleicht eine hässliche? Ach was, sie konnte ebensogut eine Traumfrau sein, das war mir doch völlig egal. Gab es Astrid noch, das war die Frage! Nein, wohl nicht, ich würde sie nie wieder sehen. Dass ich sonst eine

Menge Glück gehabt hatte, half im Moment gar nichts, ich krümmte mich zusammen und begann zu schluchzen. Der Arzt, schon halb aus dem Zimmer, kehrte noch einmal um.

»Vielleicht sollten wir Sie ja doch noch etwas hierbehalten, unser Psychologe kann Sie mal …«

Um Gottes willen, dachte ich, jetzt kein Psychologe! Wenn der die wahre Geschichte hörte, saß ich für den Rest meines Lebens in einer Anstalt. Ich gewann schlagartig meine volle Konzentration zurück.

»Nein nein«, sagte ich und wischte mir die Tränen ab, »es ist wegen des Segelboots. Wissen Sie, ich habe so sehr daran gehangen. Ich bin einfach nur sehr traurig, aber sonst bin ich in Ordnung!«

Die Sachen, die ich während des Segelns getragen hatte, waren jetzt trocken: T-Shirt, kurze Hosen, Sandalen. Ich zog mich an. Ich wusste noch sehr gut, dass ich die Unglücksfahrt in Jeans und vergammelten Turnschuhen begonnen hatte, aber das waren Abweichungen, die ich gerade noch verkraften konnte. Auch dass ich jetzt offensichtlich dicker war als je zuvor – die Jeans hätten gar nicht mehr gepasst. Es war kühl, glücklicherweise gab es einen Anorak, den ich nie gesehen hatte, der mir aber passte.

Es klopfte.

»Herein!«

Donnerwetter! Das war nun wirklich eine wunderschöne junge Frau. Schwarzhaarig, schlank, erinnerte sofort, ja, an Roswitha. Der Arzt hatte den Namen Stella genannt. Ich gab mir einen Ruck.

»Stella?«

»Klar«, lachte die Frau, »hast du jemand anders erwartet? Sag mal, du machst ja Sachen!«

Jetzt keine Fehler machen! Nichts sagen, was sie erschrecken konnte, keine direkten Fragen stellen! Lieber einsilbig bleiben, ein bisschen schusselig und geistesabwesend – das konnte nach Sturm und Krankenhaus niemanden erstaunen.

Dabei hätte ich am liebsten sofort ein Stakkato von Fragen begonnen, unnachsichtig wie ein Ermittler: Was habe ich für einen Beruf? Wie lange sind wir verheiratet? Haben wir Kinder? Gibt es das Haus noch, genauer gefragt: Wo wohnen wir? Wie stehen wir zueinander, denkst du längst an Scheidung? Wärst du vielleicht sogar froh gewesen, wenn ich – nein, das konnte ich keinesfalls fragen, höchstens herausfinden.

»Die hätten dich in ein Taxi gesetzt, aber ich musste sowieso Niki zur Schule bringen, da kann ich dich ja schnell rausfahren. Warum schaust du so traurig?«

»Etwas Kopfschmerzen noch.«

Niki war vermutlich ein Nikolaus, ein kleiner Sohn. So, ich war also jetzt Vater. Zwar ein Vater im Großvateralter, aber es tat Kindern ja gut, wenn der Papa schon etwas altersmilde war.

Wir stiegen in einen japanischen oder koreanischen Kleinwagen ein. Fuhr sie nach Chieming? Immerhin ging es direkt aus der Stadt heraus, Richtung Wolkersdorf und Schmidham.

»Du bist sehr still«, sagte Stella.

»Ich freue mich, dass ich noch lebe. Und das bei so schönem Wetter.«

»Sie haben mich abends angerufen. Ich bin ins Krankenhaus gefahren, aber man sagte, es sei wohl doch nicht das Herz. Jedenfalls hast du geschlafen wie ein Bär.«

»Das war die Spritze.«

»Heute Morgen hat ein Horst Sommer angerufen, wollte wissen, wie es dir jetzt geht. Das ›jetzt‹ hat mich gewundert. Vielleicht hat er irgendwoher was läuten gehört.«

Horst Sommer? Das war wunderbar! Teile der Biografie schienen noch zu stimmen. Horst, den Holzhändler, einen meiner besten Jugendfreunde, gab es offenbar nach wie vor. In diesen großherzigen, weisen, stets lachlustigen Menschen hatte ich ein so riesiges Vertrauen, dass ich ihn ohne Weiteres beiseitenehmen und befragen konnte. Horst würde mit seinem Raubtiergebiss herzlich und bereitwillig lachen wie über einen besonders gelungenen Witz und mir dann, weil er auch die unmöglichsten Dinge sofort verstand, ernst und taktvoll erklären, wer ich jetzt war und wovor ich mich hüten müsse. Ich hatte wieder so etwas wie Hoffnung. Und sie sollte gleich noch ein wenig wachsen.

»Ich bringe dich jetzt erst mal nach Hause, damit du dich ein bisschen erholst, deine E-Mails checkst undsoweiter. Ich fahre dann gleich wieder rein, um zehn Uhr kommt ja Mami an. Sie hat schon aus dem Zug angerufen und sich Sorgen gemacht. Dann musst du alles genau erzählen, und mittags gibt es Renken.«

Sie bog in die große Straße nach Seebruck ein.

Mami, wer war Mami? Offensichtlich ihre Mutter. Also meine Schwiegermutter. Oder sogar meine eigene Mutter – wenn sie neuerdings ein hohes Alter erreicht haben sollte. Ich hatte eine jähe Eingebung:

»Hat Astrid angerufen?« Ich rechnete mit: Weiß ich nicht, wer ist Astrid? Aber Stella sagte:

»Sage ich doch, Papi, aus dem Zug! Ich musste ihr sagen, dass du im Krankenhaus bist. Ich habe sie aber auch schon informiert, dass es dir gut geht. Warum lachst du?«

Wir passierten Kraimoos.

Ich lachte Tränen und stellte zugleich fest, dass man aus Dankbarkeit lachen kann, genauer gesagt aus Dankbarkeit für eine wiederaufkeimende Hoffnung. Und dann kann man kaum damit aufhören. Stella war also vielleicht meine Tochter (unverheiratet, sonst hieße sie nicht Weitling), und meine Frau war aller Wahrscheinlichkeit nach jene Astrid.

Und Niki ebenso wahrscheinlich mein Enkel. Jetzt musste ich mich vergewissern. Ich fasste mich wieder. Langsam jetzt!

»War ich eigentlich ein guter Vater?« Viel konnte bei dieser Frage nicht passieren. Schlimmstenfalls war ich eben doch noch etwas verwirrt.

»Aber Papi! Der beste überhaupt. Du stellst vielleicht Fragen ...«

Wir näherten uns Laimgrub, wo die Straße nach Chieming abging. Wie viele Kinder waren es insgesamt, hätte ich jetzt gern gewusst, aber fragen konnte ich das natürlich nicht, ohne Erschrecken auszulösen. Ich ließ es bleiben.

»Du bist halt immer etwas zurückgezogen, weil du dich auf deine Gedanken konzentrieren musst. Aber wenn man das weiß und daran gewöhnt ist, dann ist es mit dir auszuhalten. Gut sogar. Ich müsste dir einen Kuss geben, aber dann überfahre ich unschuldige Menschen, Hühner und so weiter. Lieber später!«

Nachdem wir in Chieming Hauptstraße und Fuchsengasserl durchfahren hatten, war ich fast sicher, dass es zum vertrauten alten Haus hinter der Birkenallee ging, und genau so war es. Ein weiterer Stein fiel mir vom Herzen, aber noch nicht der schwerste. Selbst wenn jene Astrid meine Astrid sein sollte – wie sah sie in diesem Leben aus, vor allem: Liebte sie mich denn noch so wie bis gestern, in der Zeit vor dem Sturm?

»Übrigens, du hast die Bootshüttentür offen gelassen, ich habe sie zugemacht. Es fehlt, glaube ich, nichts.«

Wir waren da. Als Stella mir den angekündigten Kuss gegeben hatte, verschwand sie in der Küche, um Kaffee zu kochen. Das war gut, denn so konnte ich mich unauffällig etwas umsehen.

Sie brachte mir den Kaffee, legte mir die Post hin und fuhr wieder los, um einzukaufen und Astrid abzuholen.

Kaum war sie weg, suchte ich auch alle anderen Zimmer ab, fand ein Schlafzimmer, ziemlich sicher das von Astrid, und dann mein eigenes. Stella schien nicht im Haus zu wohnen, eher wohl in Traunstein. Deshalb hatte sie auch erzählt, sie habe gerade Niki zur Schule gebracht.

Wo war mein Arbeitszimmer? Das war mir jetzt das Wichtigste – dort musste doch ein Foto meiner Frau sein! Ich fand das Zimmer, den Schreibtisch, aber kein Foto, dafür war gar nicht Platz: Stöße von Büchern und Papier überall, und an der Wand lauter seltsame Kurven und Diagramme. Ich sei etwas anderes als ein Richter, hatte der Journalist mir angedeutet. Schade, er hätte mir noch sagen müssen, welchen Beruf ich denn jetzt ausübte. Der Schreibtisch konnte der eines Schriftstellers sein. Überall lagen kleine Karteikarten herum, auf denen Sätze oder Teilsätze standen, mit Vermerken wie: »zu I«, »zu VII« oder »noch in III rein«. Die Zahlen konnten Kapitel bedeuten, ich schrieb offenbar ein Buch.

Mir fiel die Brieftasche ein: In dem Anorak war doch eine, ich hätte längst nachsehen sollen. Und jawohl, da war ein Foto. Aber es war das eines Kindes, eines kleinen Mädchens. Gab es irgendwo Fotoalben? Ich suchte, fand nur ein Telefonbuch und schaute vergeblich nach Horst Sommer.

Auf einem Tischchen stand ein Computer, aber ich brachte ihn nicht in Gang, ich hatte kein Passwort – »Astrid« war es nicht. Ein Bild, von einem Kind mit Buntstiften gemalt, hing neben dem Fenster. Es zeigte das Haus überm See, eine lachende Sonne mit extra vielen Strahlen und die Birkenallee, durch die ein Auto auf das Haus zufuhr. Vier Menschen standen neben dem Haus: ein dicker Mann, zwei Frauen und ein kleines Mädchen. Die Unterschrift in ganz großen Buchstaben: »Nike Weitling«.

Es gab also keinen Nikolaus, sondern eine Nike, eine

kleine Siegesgöttin. Auch gut. Fehlte noch der Vater dazu. Vielleicht fehlte er deshalb, weil er Stella mit dem Kind sitzengelassen hatte? Ich merkte, dass ich zu väterlichen Gefühlen fähig war, jedenfalls wuchs in mir ein Zorn auf diesen losen Vogel herauf, sollte er sich schnöde davongemacht haben – für mich von Jugend an eine völlig undenkbare Handlungsweise. Selbstverständlich war immer noch eine Klage möglich, falls er Kind und Kindesmutter nicht angemessen versorgte. Ja, du Playboy, wenn erst ein Volljurist die Sache in die Hand nimmt, wirst du dich noch sehr wundern!

Ich überlegte: Doch, Volljurist blieb ich, klar, gar keine Frage! Selbst wenn ich jetzt als Schriftsteller gelten sollte.

Am Computer versuchte ich noch die Passwörter »Nike« und »Stella«, ohne Erfolg. Ich öffnete die Post, die mir Stella neben die Kaffeetasse gelegt hatte, wobei ich merkte, dass die Narbe an der linken Hand, mit der ich als Richter die Unglücksfahrt angetreten hatte, sich nicht wieder eingestellt hatte. Natürlich nicht, wieso auch? So viel Intelligenz musste ich jetzt schon aufbringen, um zu realisieren: Das hier war das andere Leben, welches sich längst zur Genüge angekündigt hatte – Narbe war gestern!

Die Post sagte mir wenig über mein neues Ich. Die Bankauszüge verzeichneten als regelmäßige Einnahme eine Rente oder Pension und wenigstens kein Minus. Zwei Briefe enthielten die Einladung, etwas ohne Honorar zu schreiben, ein anderer verlangte eindringlich die Investition in einen Gastanker. Der einzige Privatbrief war von einer Leserin, die den Schriftsteller aufforderte, aus ihrer Lebensgeschichte einen Roman zu machen – einen solchen Stoff würde er nie wieder finden. Von Interesse war allenfalls die neueste Ausgabe einer Atheistenzeitschrift. Der Kerl, also ich, glaubte offenbar, man dürfe nicht an Gott glauben. Ich ahnte, dass ich mich auf eine ziemlich trostlose

Postlektüre einzustellen hatte, auf Zumutungen Tag für Tag. – Aber das war ja nur die Chieminger Post – Astrid würde mir wohl noch etwas aus Berlin mitbringen, darunter hoffentlich ein paar handgeschriebene, richtige Briefe.

Immer klarer wurde mir, dass das Haus in diesem Leben mir gehörte. Bei den Abbuchungen vom Konto war die Miete für eine Berliner Wohnung zu erkennen gewesen, aber keine für das Haus. Und beim Herumsuchen war mir eines sofort aufgefallen: kein Schmiedeeisen mehr, im ganzen Haus nicht! Es war angenehm eingerichtet, und die meisten Möbel kannte ich aus der Jugend. Überall standen Schalen und Vasen aus der Chieminger Töpferei, in der Astrid sich manchmal umsah – daran hatte sich also auch nichts geändert. Ein gemietetes Ferienhaus hätte sie wohl nicht so ausgestattet. Und es waren auch die alten, vertrauten Bücher da, alle! Die goldenen Buchrücken des Großen Meyer glommen im Dunkel der Diele, *Antonio Adverso* stand im Gästezimmer, einst Willys Zimmer. Nein, das war kein Ferienhaus, wie man es mieten konnte, das war alter, gewachsener Besitz.

Aber all das war belanglos, verglichen mit der Frage, ob es zwischen Astrid und mir noch so war wie früher. Ob der Kerl, der ich jetzt war, sie so glücklich zu machen verstand wie der Richter. Mit einem Schriftsteller zu leben, das weiß ich von Kindheit an, ist noch schwerer als mit einem Volljuristen.

Vor dem Haus waren Autotüren zu hören. Ich eilte zum Fenster und sah eine Frau aussteigen, die Astrid aufs Haar glich, oder nein, das nun gerade nicht – sie trug die Haare viel länger und offen, es war definitiv nicht die Frisur einer Richtersgattin.

Als wir uns in den Armen lagen, weinte ich, worüber sie sich etwas wunderte, aber dann weinte sie kurz entschlossen mit. Sie wusste, dass manchmal ordentlich geweint werden musste, der Anlass musste kein tragischer sein. Ich streichelte ihren Kopf, worauf sie sagte: »Bitte nicht den Kopf! Du weißt, dann heule ich endlos!« Durch den Tränenschleier sah ich in der Nähe das Mädchen stehen, von dem ich mir gemerkt hatte, dass es Niki gerufen wurde. Etwa sechs Jahre, ein wenig pausbäckig, mit langen Haaren wie ihre Großmutter. Die Kleine machte große Augen, und es war ja wirklich zum Staunen, wie Oma und Opa da an ihre Hälse hinschluchzten.

»Seid ihr jetzt wieder normal?«, fragte Niki. »Ich muss Opa nämlich was zeigen!« Ich ahnte schon, was: alle Zeichnungen, die sie im Zug gemacht hatte, »weil ich nämlich immer gar nicht schlafen konnte, es war so wahnsinnig laut«. Es waren großartige Zeichnungen, und Opa war auch drauf, ein grundguter, mächtiger Opa.

Meine Erkenntnisse nach zwei Monaten

Während der langen Monate meiner Sommerfrische hat sich, wie ich von meinem Großvater schon erfahren hatte, die Zeit hier nur um Sekunden bewegt, vielleicht nur Zehntelsekunden. Vieles ist jetzt anders, gottlob nicht alles – ich hatte schon damit gerechnet, in Verzweiflung zu enden. Einige sollen sich nach ihrer Rückkehr aus der Jugend umgebracht haben, weil sie ein neues, ihnen ganz fremdes Leben nicht ertrugen. Normalerweise ist die Sommerfrische als solche schon eine gute Lektion in Gelassenheit. Das Leben ergeht sich in Zumutungen, aber sie stiften keinen Schaden, wenn man sie hinzunehmen weiß. Bei einem Zwangsaufenthalt in der Jugend lernt man das.

Die vergangenen zwei Monate waren ein Wechselbad. Ich realisierte Verluste, freute mich aber vor allem über unermessliche Geschenke. Dass ich Astrid wieder vorfand, war das größte. Selbstverständlich hat sie schnell gemerkt, dass ich mich an viele gemeinsame Erlebnisse nicht erinnerte, dafür aber an andere, die ich ihrer Ansicht nach geträumt oder erfunden haben musste. Wir konnten uns zunächst darauf einigen, dass während des Sturms etwas passiert war, und zwar Folgenschwereres als nur Zerrungen und eine Gehirnerschütterung. Da war dieses blaue Dings, dieser Blitz, vielleicht mit fatalen Auswirkungen auf mein Gehirn. Astrid nennt das Phänomen »Blitzdings« und hilft mir rührend, meine Defizite vor anderen zu tarnen.

Ich musste ihr auch sagen, dass ich nach dieser Rettung wohl kein sehr entschlossener Atheist mehr sein würde. Sie lachte und antwortete: »Wieso, du hast doch immer auf die Atheisten geschimpft, besonders wenn du ihre Zeitschrift gelesen hast!« Sicher ist aber auch, dass der Schriftsteller kein Christ ist. Ein Kirchgang des Wilhelm Weitling würde jetzt auffallen, manchen seiner Leser wäre er peinlich. Ich muss mich damit abfinden, fürs Erste den Agnostiker zu geben. Und auf lange Sicht? Man wird sehen.

Es macht mir inzwischen nichts mehr aus, auf die Frage »Was machen Sie?« zu antworten: »Ich schreibe Bücher.« Anfangs verplapperte ich mich noch und sagte: »Richter a. D.« oder machte einen Witz mit »Richter adieu«, den kein Mensch verstand. Aber Schriftsteller können viel Unverständliches sagen, ohne Erstaunen auszulösen – einem Richter Weitling hätte man schon binnen weniger Tage nachlassende Geisteskraft attestiert.

Was ich in den letzten zwei Monaten arbeitete, fiel nicht weiter auf, denn es glich dem, was Schriftsteller tun: Ich schrieb auf, was ich mir während der Zeit als Körperloser innerlich zum Aufschreiben vorgemerkt hatte, vom

Chiemseesturm bis zu General Patton – das empfahl sich, denn es wurde allmählich blasser und lückenhafter. Gestern bin ich damit fertig geworden.

Dazwischen las ich in den lieben Büchern meiner Jugend, und auch das gehört zu dem, womit Schriftsteller den Tag verbringen. Allenfalls die Lektüre der alten Donald-Duck-Sonderhefte fiel auf. Meine Tochter sah mich damit sitzen und sagte: »Wieder ein bisschen Kind sein – tut manchmal ganz gut, nicht?« Ich antwortete wahrheitsgemäß: »Es ist merkwürdig, wie wenig mich diese Hefte jetzt noch interessieren – ich muss erwachsen geworden sein.« Und es ist wahr: Als Kind wünschte ich sehnlichst, dass sich nichts änderte, keine Landschaft, kein Mensch, den ich liebgewonnen hatte, ich wünschte mir Stillstand – nur mit mir selbst durfte es natürlich mächtig weitergehen. Entenhausen und die Duck-Familie mochte ich, denn bei ihnen blieb sich alles gleich. Heute liebe ich Menschen, die sich ändern können, wenn möglich zum Guten. Ob das auch für Enten gilt, muss ich noch überlegen.

Meine wichtigste Arbeit in der letzten Zeit war eine andere: alles in Erfahrung zu bringen, was ich jetzt über mich wissen musste. Ich googelte meinen Namen, ich telefonierte mein Adressbuch ab. Und las natürlich, was ich denn als Schriftsteller so geschrieben hatte – die Bücher standen da, und kein Weg führte daran vorbei. Ich war dann gar nicht so unglücklich damit, manches las sich flott. Bekanntheit hatte ich offenbar mit einem Roman über Ioannis Kapodistrias erlangt, den ersten Präsidenten des von den Türken befreiten Griechenland. Das Buch schildert, wie der Staatsgründer, ein erfahrener Politiker, am Widerstand der mächtigen Familienclans scheitert. Er wird schließlich ermordet, übrigens ausgerechnet am Sonntag während des Kirchgangs. Wäre er am Leben geblieben, er hätte wohl das Land energisch organisiert und schließlich zu einer Demokratie gemacht, wäre vielleicht sogar König in einer konstitutionellen Monarchie geworden, Otto von Wittelsbach hätte zu Hause bleiben können.

Der Autor hat aus Kapodistrias einen Sprachbehinderten gemacht, einen mit Weisheit gesegneten Stotterer. Vielleicht schwebte ihm ein moderner Demosthenes vor. Jedenfalls gibt es zahllose weise Sprüche in dem Buch, die von Kapodistrias stammen sollen, in Wahrheit hat Weitling sie gezimmert.

Das Buch soll bei jungen Leuten Anklang gefunden haben, weil es die heilige Kuh »Familie« schlachtet: »Rettet Griechenland und die ganze Welt – vor der Gier der Familien!«, schreibt Kapodistrias, und als er bereits tödlich getroffen ist, ruft er aus: »Die Dummheit liefert uns ans Messer!« Eindrucksvoll. Übrigens geklaut, ein Büchlein mit Sonetten Christoph Meckels und Volker von Törnes hat diesen Titel. Vor allem aber vermisse ich in dem Roman einen Bericht zur Gerichtsverhandlung in der Mordsache. Überhaupt scheint sich Schriftsteller Weitling für genaue Beweislagen nur wenig zu interessieren. Und Kapodistrias eignet sich laut dem Großen Meyer in der Diele nicht zur Lichtgestalt. Er mag respektabel gewesen sein, leider ohne Überlebensglück.

Noch mehr aber lag mir an den genauen Eckdaten meines Lebenslaufs – ich musste unbedingt wissen, welche Weichen in meiner Biografie jetzt anders gestellt worden waren. Das Adressbuch war mir keine Hilfe: Es standen lauter neue Namen darin, mit denen ich nichts anfangen konnte, und nur wenige, die mir bekannt vorkamen. Diese habe ich kontaktiert, aber von einem Richter Weitling wussten sie nichts. Horst Sommer war nirgends mehr zu finden, dabei hatte er doch offenbar am Tag nach dem Unglück angerufen. Von wo? Aus dem Ausland, der Unterwelt, dem Himmel?

Gleich am ersten Tag war ich auf den Stötthamer Friedhof gegangen und hatte gesehen, dass die Grabinschrift in einem wichtigen Punkt glatt geändert war, »glatt« ist wörtlich zu nehmen: ohne ein materielles Anzeichen für Änderungen an der ursprünglichen Steinmetzarbeit. Hier muss es eine Macht geben, die stärker und konspirativer ist als alle Geheimdienste der Welt. Hansjörg Weitling starb demnach bereits 1971, Desirée erst 2007. Nicht er wurde neunzig und sie sechsundsechzig, sondern umgekehrt! Sie hat das Haus nicht verkauft, sondern bis zuletzt darin gewohnt, und sie hat es mir vererbt.

Die Geburts- und Todesdaten meiner Großeltern mütterlicherseits sind unverändert, ebenso die meines sehr früh verstorbenen kleinen Bruders. Irgendwann wird hier mein Name zu lesen sein, das Geburtsdatum steht immerhin fest. Dass in dem Schriftsteller Wilhelm Weitling ein etwas verblasster Richter herumgegeistert ist, ein innerer Zwilling sozusagen, ein Konjunktiv, das wird dann niemand mehr auch nur ahnen. Was ungerecht ist: Denn es ist doch eher so, dass der ursprüngliche, durchaus wirkliche Weitling nur per Laune und Fügung zum Konjunktiv wurde. Statt seiner durfte ein »Was-wäre-wenn«-Weitling, ein Schriftsteller (schon verdächtig), als Indikativ die Ziellinie passieren – vertauschtes Erstgeburtsrecht.

Alles, was ich an Neuerungen ermittelte, fügte ich mit dem zusammen, was gleich geblieben war. Ich legte Karteien an, heftete Grafiken an die Wand, konstruierte meinen Lebenslauf neu. Da Schriftsteller ständig planen, recherchieren und sich mit sich selbst beschäftigen, fiel auch diese Tätigkeit nicht weiter auf. Nicht einmal Astrid fand Grund zum Wundern.

Manches, was mir an der eigenen Person und Vergangenheit neu war, belustigte mich, anderes weniger.

Ich kann, wie als Richter, mit zehn Fingern blind schreiben, aber jetzt schneller als der Teufel. Das heißt, ich bringe viel zu Papier. Da ich es anschließend wieder streiche, gleicht das Ergebnis dem bisherigen.

Ich bin nicht SPD-Mitglied, auch nicht Mitglied einer anderen Partei – Schriftsteller neigen dazu ohnehin nicht, Zugehörigkeiten belästigen sie, und in Parteien treten sie meist erst dann ein, wenn ihnen nichts mehr einfällt. Ich bin aber Gesellschafter diverser Immobilienfonds. Durch sie habe ich ab und zu Steuern gespart, insgesamt aber mein Geld bei Leuten deponiert, die es so gut gebrauchen können, dass sie es nie wieder hergeben werden. Immerhin werde ich laufend über die Gründe fehlender Ausschüttungen, ferner über neue Investitionsmöglichkeiten ebendieser Sorte informiert.

Schriftsteller Weitling ist selber schuld – warum hat er lebenslang stolz betont, nichts von Geld zu verstehen? Und warum versteht er tatsächlich nichts davon, er hätte ja wenigstens heimlich etwas lernen können? Er ist somit ein besonders geeignetes Opfer für alle angeblich todsicheren Ertragsmodelle.

Auch menschlich scheinen ihm Betrüger sympathisch zu sein – wegen ihrer Lebendigkeit und Pfiffigkeit, und sie lachen auch immer so dankbar über seine Witze, Weitling fühlt sich von ihnen geliebt. Etwas mehr Jurisprudenz hätte dem Mann gutgetan.

Mit der Hilfe eines EDV-Spezialisten hackte ich mich in mein jetziges digitales Leben hinein (das Passwort meines Computers war »Kapodistrias«), las meine E-Mails, schaute meine Familienfotos an und studierte meine Tagebücher. Ich tat mir auch die Anfänge des Romans an, an dem ich bis vor der Segelfahrt geschrieben haben muss:

Da hat der Betreiber einer Ostberliner »Bed & Breakfast«-Pension eine Fülle von philosophischen Gedanken, ferner interessante Gespräche mit seinen Gästen. Er verbirgt nebenbei eine dunkle Vergangenheit, weil er seinen westlichen Lebenslauf und Namen gegen einen östlichen eingetauscht hat – das Schicksal des Tauschpartners ist ungewiss. In seinem wahren Vorleben hat er eine Frau und eine kleine Tochter zurückgelassen, und Letztere ist eines Tages unter seinen Pensionsgästen und teilt ihm mit, sie suche nach ihrem Vater, nicht wissend, dass er das ist. Ich denke, ich werde gar nicht erst versuchen, das zu Ende zu schreiben: Der Mann muss dauernd etwas denken oder sagen, kluge Sachen bis zum letzten Atemzug.

Ich schätze den Autor Weitling so ein: Er kann sehr klar träumen und nach dem Aufwachen alle Dialoge aufschreiben, manchmal sind sie gut. Im Übrigen ist er Spezialist für die Neuformulierung von Binsenweisheiten. Seine Haltung gegen Menschen ist begütigend bis opportunistisch, lediglich seine Arbeitsweise nimmt wunder: Er schreibt jeden, wirklich jeden Schrott hin, hasst sich die halbe Nacht dafür, wirft anderntags das meiste in den Papierkorb und fühlt sich dadurch wunderbar erleichtert, was neuen Schrott zeitigt.

Die Gespräche mit Autorenkollegen sind kein Problem. Dass Weitling sich lieber über Gerichtsprozesse, Verfassungs- und Vertragsfragen unterhält als über Romane, wirkt unter Schriftstellern völlig normal. Gespräche über Gedichte und Romane führen ausschließlich Leser, gegen Bezahlung auch Literaturwissenschaftler.

Ich merke, dass ich von mir immer noch in der dritten Person spreche, ich muss mir das abgewöhnen. Man kennt das sonst bei Leuten mit Identitätsstörung. Ich denke, ich bin nicht ge-, sondern verstört. Aber warum nicht zu einem Ich finden, das auf zwei Leben zurückblicken kann? Ich sollte das Beste daraus machen.

Es bleibt die Frage: Warum führte mein jetziger Lebenslauf in eine Autorenexistenz? Welche Weichen waren in ihm anders gestellt?

Mein Vater war noch eine Spur liebenswerter, dominierte nicht, und was sicher besonders ins Gewicht fällt: Er starb viel früher.

Meine Mutter lebte lang und schrieb noch mehrere Bücher, die das Loblied der Familie sangen. Ihre Romane zeigten Verluste an, schilderten, dass Humor und Selbstironie stärker sein können als Verluste an Vermögen, Einfluss, Heimat. Die Bücher spendeten Trost. Außerdem enthielten sie hübsche Bosheiten gegen alles Radikale und Weltverbessernde, Totalitäres zumal. Meine Mutter scharte eine Gemeinde treuer Leserinnen um sich, für die Familie alles war – und meistens war sie auch das, was sie verloren hatten. Desirée Weitlings letzter Roman handelte von einem Verlust, gegen den nichts und niemand helfen konnte: dem ihres Mannes. Es war das am wenigsten erfolgreiche ihrer Bücher, aber ihr bestes.

Ich brach offensichtlich nach dem Tod des Vaters 1971 das Jurastudium ab, studierte Geschichte und wollte Forscher werden. Da aber die Universität nach 1968 für einige Jahre zum Forum doktrinärer Gewissheiten wurde und sich weit davon entfernte, Universum oder auch nur Heimat sein zu können, wurde ich Lehrer für Geschichte und Geografie, versuchte mich sogar am »lebenskundlichen Unterricht«. Das war das, was in Berlin vom Religionsunterricht übrig geblieben war, eine Art religiöser Zweifelskunde – das steht alles in meinen mir neuen und recht erstaunlichen Tagebüchern.

Insgesamt scheint mir dann auch die Schule fade geworden zu sein. Es ging allzu oft nur um prozessfeste Notengebung, Formulare, Bürokratie und politische Korrektheit. Das Leben als Lehrer war anstrengend, meistens freudlos und vor allem ruhmlos.

Ich verließ die Schule und ging als Produktionsfahrer zum Spielfilm. Meine Mutter litt unüberhörbar. Sie hatte mich in vielen Briefen gewarnt, die ich inzwischen kenne, hatte von Versorgung gesprochen, von Pensionsanspruch. Wie wollte ich als (meistens arbeitsloser) »Filmschaffender« eine Familie gründen, wie sie ernähren? Ich aber wollte Tod oder Freiheit, folgte meinem Entschluss und scheine ihn nicht bereut zu haben, schon gar nicht in Zeiten der Arbeitslosigkeit – exakt diese waren es, in denen ich zu schreiben begann. Arbeitslos war ich auch, als ich heiratete. Übrigens nicht kirchlich, diesmal hat Astrid sich durchgesetzt. Sie ist religiös unempfänglich. Etwas deutlicher gesagt, sie ist heidnisch wie eine Katze, und das war sie auch schon als Richtersfrau.

Gott hat Talent zur Ironie. Dem gut gesicherten Beamten versagt er Nachwuchs, einen mittellosen Saisonarbeiter beim Film, der dazu noch behauptet, Schreiben zum Beruf machen zu wollen, lässt er Vater werden! Stella wurde am Valentinstag 1981 geboren, ich könnte sie also theoretisch an Himmelfahrt 1980 gezeugt haben, jenem Tag in meinem anderen Leben, an dem eine Berliner Wirtin dem kinderlosen Juristen erklärte, der Tag sei noch lang. Stella blieb unser einziges Kind.

Mein Vater tot, meine Mutter erfolgreich – ich versuchte wohl unbewusst das Werk meines Vaters fortzusetzen, und zwar auch ein wenig gegen die Mutter und ihre Art, das Leben zu sehen. Gegen das Lied von Familie und Privatglück, gegen alles, was ich für Selbsttäuschung hielt, wollte ich meine Stimme für ein Universum des Zweifelns und Staunens erheben. Weitling junior hatte Glück: Seine Radikalität wirkte nicht allzu unfreundlich, und sein Nonkonformismus, ohnehin der Vernunft zugänglich, war letztlich doch konform genug, um *Kapodistrias* zu einem Erfolg werden zu lassen. Danach verlor er den Kontakt zum großen Publikum wieder, aber er blieb ein Name.

So ganz überzeugt bin ich von meinem Rekonstruktionsversuch selber nicht: Irgendetwas stimmt daran nicht. Ich kenne bisher nur die Oberfläche meiner neuen Vita. Zwar passt alles zusammen, aber nichts wird wirklich erklärt.

Wird denn wirklich jemand Schriftsteller, nur um das Werk seines Vaters fortzusetzen? Muss er nicht auch das Schreiben lieben? Natürlich muss er, sonst schreibt er keine Zeile, die Bestand hat. Warum liebte ich also das Schreiben, ganz im Gegensatz zum Richter? Diesem war selbst bei seinem Pensionistenprojekt über Rechtsempfinden und göttliche Hoffnung das Schreiben eine Last, er war schon von Berufs wegen ein Mensch des gesprochenen Wortes. Da fehlt mir ein entscheidendes Puzzlestück: Woher kam die Neigung zum Schreiben?

Was ebenfalls neu ist: Astrid hat keinen Laden für Geschenkkartons und nie gehabt – sie ist Hauptkommissarin bei der Berliner Polizei und trägt vier Silbersterne auf den Schulterklappen. Niemand anders als ich, Weitling II, hat das verursacht:

Als ich 1978 meinte, einen Kriminalroman schreiben zu müssen, brauchte ich Kenntnisse über den Alltag der Polizeiarbeit. In einem Zeitungsartikel las ich, junge Menschen könnten sich für ein »Schnupperpraktikum« bewerben, ja, Menschen, nicht Hunde. Ich kam mit sechsunddreißig Jahren nicht mehr infrage, wohl aber Astrid mit ihren neunzehn. Mir zuliebe bewarb sie sich – und man ließ sie nie wieder gehen, weil man das Talent bemerkte, das in ihrem Bildgedächtnis lag. Sie erkannte alles, was sie je gesehen hatte, sofort wieder, wenn es ihr erneut vor die Augen kam: Menschen, Umgebungen, Farben, Kleidungsdetails bis auf den letzten Knopf. Sie musste nie suchen – sie fand.

Astrid ist ein entschlossener Mensch. Entschlossenheit unterscheidet sich sehr vom Leichtsinn und kommt auch viel seltener vor. Wenn Astrid etwas unternimmt, sieht sie es so genau vor sich, als hätte sie es schon hinter sich. Es ist wie beim Sprung einer Raubkatze: Setzt sie zu ihm an, ist er in ihrem Kopf schon vollzogen. Leichtsinn hingegen tut Dinge, die er nicht oder nicht deutlich genug sieht. Astrid ist eine Katze: Es gibt keinen Leichtsinn. Sie verliert sich aber auch nicht in Erörterungen des Für und Wider. Sie schaut hin und hat bereits gehandelt, Rechtfertigungen folgen später und sind übrigens nicht gerade ihre Stärke.

Aus dem Kriminalroman ist nie etwas geworden, dafür wurde aus Astrid eine fähige Polizistin, die nur einen einzigen Kampf nie gewinnen wird: den gegen unfähige Vorgesetzte. Dummheit ist von allen nachwachsenden Energien die zuverlässigste.

Mein großes »Zeitlang« ist längst Vergangenheit, das Leben mit Astrid wieder zurück, schön wie neu. Aber manches war zunächst schwierig: Ich lernte, wie sehr eine gute Ehe aus gemeinsamen Erinnerungen besteht. »Weißt du noch?« »Da war etwas, wie hieß das, wo waren wir da?« Orte, Namen, Anekdoten – ich musste ständig passen. Schlimmer noch: Ab und zu rutschte mir eine meiner jetzt überholten Erinnerungen heraus, und das irritierte Astrid. Eine Weile konnte ich noch so tun, als schriebe ich inzwischen mit Eifer an einem neuen, ganz anderen Roman, mit einem Richter als Helden. Meine realen Erlebnisse konnten als schöpferische Phantasie deklariert werden und meine Gedächtnislücken als konzentrierte Geistesabwesenheit. Meinen alten, wohlwollenden (und mir gänzlich fremden) Schriftstellerkollegen gegenüber funktionierte das. Auch mein langjähriger, treuer, mir zunächst unbekannter Verleger fiel darauf herein und versicherte, er sei gespannt auf das neue Buch.

Aber bei einer gestandenen Ermittlerin, die mich Tag und Nacht erlebte, mussten Fragezeichen entstehen, immer öfter, immer mehr. Astrid ahnte schon bald, dass in meinem Kopf einiges nicht zusammenpasste. Ich musste ihr die Wahrheit über meine »Sommerfrische« anvertrauen, hatte aber Angst, sie damit für immer zu verlieren. Irgendwann fasste ich mir ein Herz:

»Ich muss dir etwas sagen. Übrigens nichts von einer anderen Frau.«

»Weiß ich.«

»Du weißt?«

»Bis jetzt ja.«

»Ich lebe in einer Art Wackelkontakt.«

»Gut, dass du gesagt hast, es ist keine andere Frau.«

»Seit dem Gewitter bin ich mein eigener Zwilling.«

»Verstehe ich nicht.«

»Ich habe mir ein paar Monate lang als Geist beim Jungsein zugesehen, zusehen müssen. Dann durfte ich wieder weg, weil ich über General George S. Patton lachen musste, wie er den Chiemsee verärgerte. Und wohl auch, weil ich gelernt hatte, mich in mein Schicksal zu fügen. Und vielleicht sogar, weil ich mich mit dem Jungen versöhnt hatte, der ich mal gewesen bin. Tatsächlich weiß ich nicht, warum. Ich durfte jedenfalls wieder zurück in mein jetziges Alter, Gott sei Dank. Aber leider …«

Astrid lachte.

»Und das nennst du Sommerfrische?«

»So hat mein Großvater diese Zeitreise genannt, sie ist ein sehr verbreitetes Phänomen. Er selbst musste auch in seine Jugend zurück und ist dann nach dem Zurückkommen – ja also, hier sind wir bei der Sache, die so schwer zu begreifen ist.«

»Wieso, was ist nach dem Zurückkommen?«

»Alles ist anders. Jedenfalls vieles. Großvater zum Beispiel war plötzlich ein unbekannter Maler, nachdem er vorher mit Gabriele Münter und Jawlensky …«

»Tolle Geschichte, gut ausgedacht, mein lieber Herr Schriftsteller!«

»Nein, das ist eben der Punkt. Ich bin nicht Schriftsteller. Mein Beruf war Richter, und erst jetzt erfahre ich, dass ich Bücher schreibe. Überhaupt ist vieles anders, nur du bist die Gleiche geblieben!«

»Moment! Demnach war ich die Frau eines Richters Wilhelm Weitling?«

»Ja, und du hast auch Astrid geheißen.«

»Wie sah ich aus?«

»Genau wie jetzt.«

»Und war Polizistin?«

»Nein, Geschäftsfrau. Ein kleiner Laden im Prenzlauer Berg.«

»Was habe ich verkauft, Waffen?«

»Bunte, sehr schöne Geschenkkartons.«

»Verrückt! Das wäre mein Traum! Irgendetwas verkaufen, was schön ist. Oder es jemandem schenken, wenn er nett ist. Könnten wir vielleicht mal dorthin überwechseln, per Wackelkontakt?«

»Du glaubst mir nicht.«

»Ich würde es gern glauben. Wie warst du denn als Richter? Unerträglich, nehme ich an.«

»Ordentlich bis pedantisch, auch ein bisschen selbstquälerisch. Ich nahm das Amt ziemlich schwer, litt oft unter mutmaßlichen Fehlentscheidungen. Magenprobleme hatte ich auch und war übrigens erheblich schlanker als jetzt.«

»Und ein ziemlich religiöser Mensch, glaube ich.«

»Ich war fest davon überzeugt, einer zu sein. Woher um Himmels willen weißt du das?«

»Aus deinen Gewohnheiten. Du ziehst dich seit diesem Gewitter jeden Sonntag fein an wie zu einem Kirch-gang, der aber dann nicht stattfindet. Jetzt weiß ich also, warum.«

Gerade weil Astrid eine mit allen Wassern gewaschene Fahnderin war, verlor sie rasch das Misstrauen gegen meine Geschichte. Das klingt paradox, aber es ist Tatsache: Skeptiker, die zu fragen und zu kombinieren verstehen, werden zuallererst von einer Geschichte in den Bann ge-zogen – wenn sie wahr ist! Astrid stellte fest, dass das, was ich sagte und tat, zusammenpasste, dass ich mich nicht in Widersprüche verstrickte, dass ich weder scherzte noch log. Eines Tages glaubte sie mir vorbehaltlos, und das ist der eigentliche Glücksfall dieser letzten Monate.

Seit jenem Tag hatte ich bei ihr jeden Morgen nach dem Frühstück eine Stunde Geschichtsunterricht: »Der Le-benslauf des Schriftstellers W.« Es waren die intensivsten Stunden zwischen uns, es gab für mich viel zu staunen und für beide viel zu lachen, vor allem wenn sie mir Dinge aus dem Leben von Stella und auch von Niki berichtete, die ich wissen musste. Manchmal wurde ich nachdenklich, etwa als sie mir von meinen Depressionen erzählte, un-aufhaltsamen Schüben einer gefährlichen Krankheit. Die scheine ich im Schriftstellerleben schlimmer erlitten zu haben als in meiner juristischen Existenz. Nach dem frü-hen Tod des Vaters soll das begonnen haben.

Astrid erzählte mir auch von der Beerdigung meiner Mutter, 2007. Der Friedhof sei schwarz gewesen von Menschen, die ihre Bücher kannten, und ich hätte eine Abschiedsrede gehalten, die allen wie der Versuch einer Rechtfertigung erschienen sei, denn ich hätte lang davon gesprochen, dass wir zuletzt in allem einig gewesen wä-ren, einig und versöhnt. Mutter ist an den Folgen eines Schlaganfalls gestorben, wahrscheinlich hat sie letztlich den Verlust der Sprache nicht überlebt. War es ein Tod in großer Verzweiflung? Ich hoffe, ein ruhiger, guter Abschied.

Den Autounfall in den Achtzigern, bei dem ich knapp dem Tod entkam und dessentwegen ich mich der Religion zuwandte, scheint es jetzt gar nicht gegeben zu haben, dafür aber eine Psychoanalyse, die vorübergehend gegen die Depressionen geholfen haben soll. Und einem Verein zur Afrikahilfe bin ich niemals beigetreten, Astrid wüsste es. Habe ich wenigstens etwas über Afrika geschrieben, war ich mal dort? Nichts davon.

Eines ist an den Geschichtsstunden erfreulich: Sie bringen uns neu zusammen, nicht nur weil wir jetzt ein gemeinsames, streng zu hütendes Geheimnis haben (Stella erfährt nichts von der Sommerfrische!). Ich merke in diesen Morgenstunden, dass Astrid den Schriftsteller ebenso liebt wie den Richter, und das versöhnt mich mit meiner »Neuauflage«.

Astrid ist jetzt, ich merke es immer mehr, doch ein bisschen anders. Sie ist entschiedener, hat etwas mehr die Hosen an. Das hat den Reiz der Neuheit und ist überdies bequem. Sie kümmert sich zum Beispiel um meine Steuererklärung oder baut eine Fußbodenheizung in die Küche, ohne mich zu fragen – sie weiß, dass ich gern meine Ruhe habe und mich dem Dahindämmern und meinen Träumen überlasse.

Ich begreife jetzt auch, warum sie mich in all meinen Krisen nie verlassen hat: Sie ist gegen meine zwei furchtbarsten Eigenschaften, Pessimismus und ätzende Formulierungsgabe, weitgehend immun. Egal wie unzulänglich ich die Welt finde, egal wie viel ich von all dem, was Astrid kostbar ist, ins Säurebad der Kritik werfe (mich selbst eingeschlossen), sie behält Ruhe und Geduld, solange ich nur sie selbst weiter liebe und brauche.

Manchmal, sehr selten, fühlt sie sich ungeliebt oder in

ihrer eigenen Liebe verkannt. Dann allerdings wird sie wütend, kämpft vehement, irrational und mit sehr schiefer Schlachtordnung gegen die bedachtsam aufgestellten Armeen meiner Argumente. Sie rührt damit mein Herz so zuverlässig, dass ich sie nach einiger Zeit lachend in den Arm nehmen muss, lachend oder weinend, und all meine geschliffenen, glänzenden Worte zerplatzen wie Seifenblasen.

Ich weiß nicht und werde auch nie wissen: Bin ich glücklich? Andere könnten das beurteilen, Freunde jedenfalls. Aber welche Freunde sollten das sein? Gewiss, da sind viele Leute, die mich kennen, sogar etliche, die ich aus der Jugend kenne, Schulkameraden. Doch selbst diese wissen nichts von einem Richter Weitling. Mindestens drei von ihnen müssten gesehen haben, wie ich in München in der juristischen Fakultät ein und aus gegangen bin. Aber nein, jetzt sollen es also Neuere Geschichte und Politikwissenschaft gewesen sein. Und alle, die ich später liebgewonnen habe, sind gelöscht, nie gewesen. Vielleicht ist das der Preis für das Bleiben von Astrid. Wenn, dann ist sie ihn wert.

Ich bin ein zufriedener Vater und Großvater. Stella und Hans, der Vater ihres Kindes, der alles andere als ein Playboy ist, werden heiraten, nachdem er sein Jurastudium mit einer kiloschweren Dissertation abgeschlossen hat. Titel: »Gemeines Recht gegen Gewohnheitsrecht. Zur Rechtsprechung des Reichskammergerichts von 1495 bis 1806«. Er wird später wohl Staatsanwalt oder Richter. In die Doktorarbeit habe ich hineingesehen und fühle mich geehrt, denn sie kommt mir sehr bekannt vor. Ich erkläre mir das so: Meine eigene Dissertation ist durch den Identitätswechsel frei geworden, warum soll nicht jemand anders sie jetzt geschrieben haben? Ich bin zufrieden, dass meine unvergleichliche Durchdringung von Wesen und Wirken des Reichskammergerichts der Menschheit erhalten bleibt, auch wenn der Autor jetzt anders heißt.

Nein, ich bin nicht undankbar, und immerhin bin ich dem Tod entronnen.

Wahrscheinlich brauchen die Menschen Gott in erster Linie, um Dankbarkeit für ihr Leben auszudrücken, mag er Jehova heißen, Allah, Wilson oder eben Gott. Für einen, der nur ersehnt und ausgedacht ist, hat er ziemlich viele Namen. Und für einen, der nur ausgedacht ist, gibt es auch reichlich Menschen, die mit ihm geredet haben wollen. Haben sie sicher auch. Sie haben ihn nur nicht gesehen, und gesagt hat er auch nichts.

Stella ist die typische Tochter eines schriftstellernden Freigeistes: Sie ist betont ordentlich und will vorbildlich sein. Das alte Buch von Pachtner, *Richtig denken – Richtig arbeiten*, ist in ihren Regalen gelandet. Und in ihrer Wohnung in Traunstein sah ich auch ihr Tagebuch liegen, ich konnte nicht umhin, den letzten Eintrag zu lesen:

»Heute ist der erste Tag, an dem ich mich ändere. Ich setze Prioritäten!«

Sie ist hilfsbereit und fröhlich, und sie liest alles außer den Büchern ihres Vaters. Auf ihrem Nachttisch lag ein ziemlich neues Buch: *Man kann seine Kinder auch genießen*, und ich bin sicher, ich kenne es, ich sah es irgendwann im Richterleben vor dem Sturm. Es dürfte der kleinen Nike zugutekommen, die ich sehr liebe, denn sie ist ebenso zärtlich wie widerspenstig.

Als ich ihr eine Gutenachtgeschichte vorgelesen hatte, wollte sie noch eine hören. Ich sagte:

»Nein, jetzt musst du schlafen.«

»Kann aber nicht!«

»Mach die Augen zu und denk an was Schönes, dann kannst du. Jede Wette!«

»Will aber nicht!«

»Niki, morgen ist doch auch noch ein Tag, mach keinen Aufruhr!« Darauf sagte sie den Satz, der zu den schönsten Hoffnungen berechtigt:

»Aufruhr darf ich, ich bin Demokrat!«

Ich las ihr doch noch eine Geschichte vor. Gegen Ende schlief sie fest.

Zu ihrem sechsten Geburtstag habe ich ihr ein Baumhaus gebaut, von dem aus sie über eine Rutsche das Fenster ihres (ebenerdigen) Kinderzimmers erreichen kann. Sie war begeistert, hatte aber sofort Nachbesserungswünsche: Dem Baumhaus fehle noch eine Geheimtür und ein Geheimfach für besondere Schätze. Ich tat mein Bestes. Das Klettern auf der Leiter bereitete mir Pein, aber die Einbauten gelangen. Das Geheimfach war aber so deutlich erkennbar, dass Niki kurz entschlossen ein Schild daran befestigte. Aufschrift: »Privart!!!« Ja, mit zwei »r«, dadurch lag ein warnendes kleines Knurren in dem Wort. Niki kommt nach mir.

Das alte Kistchen übrigens, mein erstes eigenes Möbelstück, ist wiederaufgetaucht. Ich löste die Linoleumverkleidung von der Oberfläche und las darunter voll Freude meinen ersten schriftlichen Appell an diese gedankenlose Welt: »BITTE NICHZ HINLEGEN!!! FERST«.

Die Chiemseeplätte ist längst repariert und wartet im Dunkel ihrer Hütte auf neue Abenteuer. Ich gebe ihr dazu aber wenig Gelegenheit. Dass das Boot etwas anders aussieht und dass dies nicht auf die Reparaturen zurückzuführen ist, wundert mich kaum. Wenig schön sind an den Bordwänden außen zwei lange Reihen von Drehknöpfen zum Befestigen der Persenning. Sollte ich mich je wieder im Sturm an diesem Boot festzuhalten versuchen, dürfte ich noch einige Kratzer mehr mitnehmen. Eigentümlich ist, dass das Schiffchen jetzt einen Namen hat. Das verrät mir ein Messingschild auf der vordersten Sitzbank, in welcher der Mast steckt: »Gabriele« steht da. Obwohl ich inzwischen viel über mich weiß, von einer Gabriele hat mir Astrid nichts erzählt, und ich wage auch nicht, sie zu fragen. Andererseits: Kann ich denn das Boot, in dem ich immer wieder auch mit meiner Frau segle, nach einer Geliebten genannt haben? Das Messingschild hat Astrid mit Sicherheit schon beim ersten Blick auf das Boot gesehen. Es wird so sein, dass ich die Plätte gebraucht gekauft und es dann abgelehnt habe, sie umzubenennen – Namensänderungen sollen auch auf Binnenseen Unglück bringen.

Ach, die Plätte! Sie begann als Versuch keltischer Ackerbauern, sich rudernd auf den See zu wagen und Fischnetze auszuspannen. Die Legende, dass man das Boot mithilfe des Windes bewegen könne, wurde von schadenfrohen Römern verbreitet, sie steuerten das Lateinersegel bei. Leider gab es noch kein Waschbord, keine Lenzklappen, kein Rollschwert, all das war längst noch nicht erfunden. Es wurden ja auch Konstruktionsfehler der römischen Kriegsgaleeren durch Personal und Muskelkraft ausgeglichen – wer genug Sklaven hat, braucht nicht viel zu erfinden. Der Chiemseeplätte war es vorbehalten, die Römerzeit bis in unsere Tage fortzusetzen.

Unzählige »Marterl« rund um den See zeigen Plätten in Seenot. Bilder und Dankgebete auf vielen Votivtafeln stammen von Plätten-Überlebenden. Dieses Boot bedeutet, wenn man mit dem Leben davonkommt, zumindest Schufterei, blaue Flecken und Beulen. Es hat Jahre gedauert, bis mir aufging, dass sein Name aus dem Altgriechischen stammen muss: »πλήττειν« ist dem englischen »to strike« vergleichbar, es bedeutet stoßen, schlagen, im positivsten Fall verwirren, in Erstaunen versetzen.

Kürzlich sagte mir der Besitzer eines fetten, langsamen Jollenkreuzers: »Eine Plätte? Ich kann nur raten, sie zu verkaufen, an einen dieser plättenverrückten Masochisten. Du kriegst einen Haufen Geld und bleibst heil.«

Den Teufel werde ich tun!

Ich lebe mein verändertes Leben mit Freude und Entschiedenheit, trauere dem ausgemusterten Mittelteil meiner Biografie nur noch selten nach. Die Erinnerungen an Erfolge meines Vaters, vor allem die Gespräche mit dem kauzigen Alten sind mir zwar nach wie vor lieb. Nun aber ist er früh gestorben, und alles soll Phantasie sein – gut, ich verschmerze es. Dass mir kein Gespräch, kein Erlebnis, kein Lachen mit meiner alt gewordenen Mutter gegenwärtig ist, kann mich kaum verdrießen, da ich das Entgangene nicht kenne. Von der juristischen Ausbildung und Karriere habe ich mich ohne Träne verabschiedet, hätte ersatzweise nur gern ein paar schriftstellerische Erinnerungen: Was passierte mit mir beim Schreiben von Romanen, was fühlte ich, wenn sie erschienen? Ich werde selbst einen schreiben müssen, um das herauszufinden.

Eine Frage interessiert mich nach wie vor, auf die niemand mir eine Antwort geben kann: Was hat in diesem Leben dazu geführt, dass ich Schriftsteller geworden bin?

Neuntes Kapitel

Der Besuch

Wilhelm Weitling lebt nicht mehr, aber seine Geschichte, die er nicht mehr vollständig aufschreiben konnte, sollte hier zu Ende erzählt werden. Als einer seiner Schriftstellerkollegen, der viel mit ihm gesprochen hat, auch wenn er sich zuletzt nicht mehr an mich erinnern konnte, will ich das versuchen. Ich stütze mich auf die Notizen seiner letzten Monate, auf meine Erinnerung an Gespräche, vor allem aber auf die Beweiskraft der Phantasie, wie auch er es stets getan hat.

Ende August 2012, an einem heißen Nachmittag, saß der Schriftsteller im Garten seines Hauses in Chieming-Stöttham. Um diese Zeit sonnte er sich an schönen Tagen auf der Dachterrasse, aber die wurde soeben von Handwerkern neu gefliest. Der Garten, der östlich an das Haus grenzte, lag schon im Schatten, das war bei der Temperatur willkommen. Er hätte auch auf dem Uferweg spazieren gehen können, der meistenteils unter Bäumen lag. Bis zum Wegmacherzipf und zurück, das schaffte er noch.

Aber wozu? Der Wegmacherzipf war nicht mehr wie früher. Die Steinmole hatte sich nach dem Tod von Franz Peteranderl immer mehr aufgelöst, sie war von zahllosen Steinewerfern nach allen Seiten verteilt worden, bis das Lebenswerk des Wegmacher-Franz nur noch in der entstandenen Untiefe zu ahnen war. Es gab noch einen morschen, sehr schmalen Steg, aber durch die Zerstörung der ehemaligen Mole war das Wasser gerade dort sehr flach. Kaum noch ein Boot versuchte anzulegen. Wozu also hingehen, wenn es nichts zu sehen gab? Wenn Weitling diese Richtung einschlug, dann setzte er sich schon kurz nach dem Huberhölzl auf eine Bank und sah den Windsurfern zu, besonders den Kitesurfern, wie sie unter ihren tanzenden, pendelnden Drachen pfeilschnell durch die Wellen jagten und manchmal viele Meter weit in die Luft gehoben wurden. Das schaute er sich gerne an, da waren Kraft und Leben. Diese Uferstelle war bei jedem Sturm Treffpunkt der verwegensten Surfer auch von sehr weit her. Sie liebten schlechtes Wetter wie einst der junge Weitling und der alte immer noch. Aber heute war kein Sturm zu erwarten.

Astrid hatte Dienst in Berlin, sie wurde erst zum Wochenende erwartet. Tochter Stella kümmerte sich um Mineralwasser für die Fliesenleger, Weitling selbst saß entspannt und hörte der Amsel zu, die auf der Spitze der Blautanne sang. Er wunderte sich, denn Amseln pflegen im August nicht mehr viel zu singen. Aber diese hier, ein Amselmännchen, sang brillant und ausdauernd, erfand immer wieder neue Lieder, wie von Anton Webern komponiert. Vielleicht, dachte Weitling, ist es Webern selbst: Am 15. September 1945, in dem Moment, als sich aus der Waffe eines amerikanischen Soldaten ungewollt ein Schuss löste und ihn tötete, wurde er in die Zukunft versetzt. Er singt jetzt als Amselmann in den Gärten all derer, die sich an ihn erinnern und seinen Namen nennen.

Weitling studierte mit Interesse, wie die Wespen sich von seinem Zwetschgenkuchen bedienten. In diesem Jahr nahm er sich überhaupt Zeit zum Betrachten der Natur, wartete geduldig auf das Erscheinen des Igels, der Nachbarskatze und schließlich der lautlos durch den Abendhimmel flitzenden Fledermäuse.

Amseln gaben ihr Solo sonst vom Dachfirst aus, aber der war heute zu nah bei den Handwerkern, die Pressluftmeißel machten Lärm, Splitter von abgelösten Fliesen flogen weit durch die Luft.

»Opa? Opa, schau mal!«

Niki hielt ihm einen kleinen Zettel hin.

»Das haben die Arbeiter da oben gefunden, unter so einem lockeren Plättchen. Mami sagt, das hast du geschrieben.«

Weitling langte nach seiner Brille. Das war ja – tatsächlich! – der Zettel, den er als Richter unter die lockere Fliese geschoben hatte! »Sicher ist, dass ich im Leben ein paar grundlegende Dinge nie begriffen habe, und ich weiß nicht einmal, welche.«

Ein Zettel aus dem angeblich nie gelebten Richterleben tauchte beim Schriftsteller wieder auf! Sieh an, dachte er, schon wieder ein Fehler in der Folgerichtigkeit, einer von vielen.

»Opa?«

»Ja.«

»Wie hoch können die Vögel eigentlich fliegen? Ich meine, wenn sie ganz, ganz hoch wollen, ist das dann so hoch wie der Chiemsee oder noch höher?«

»Das weiß ich von einem Forstrat, der das beobachtet hat. Sie fliegen meist nur so hoch wie die Mücken und Fliegen, die sie fressen möchten. Ein paar hundert Meter höchstens. Aber Raubvögel kommen höher, und die Geier. Und Wildgänse und Störche, die nach Afrika unterwegs sind, die schaffen es manchmal auf zehn Kilometer. Das ist so hoch, wie der Chiemsee breit ist.«

»Cool. Danke, Opa. Du hast ja eine ganz klare Antwort gegeben!«

»Wieso?«

»Mami sagt, manchmal redest du unklar, wegen der Weisheit.«

»Na ja, schon. Nicht immer wegen der Weisheit.« Weitling musste lachen.

»Opa, was steht denn nun auf dem Zettel?«

»Das verstehst du nicht, es ist unklar.«

»Du hast es doch aufgeschrieben!«

»Ja, aber es war so mehr – weise.«

Weitling steckte den Zettel in sein Buch. In diesem Moment sagte eine Frauenstimme: »Siehst du mich, hörst du mich?«

Er sah auf und fragte Niki: »Hast du gerade gefragt, ob ich dich sehe und höre?«

»Nein.«

»Komisch.«

Niki drehte sich um und lief ins Haus, vielleicht war ihr die Situation unbehaglich.

Er hörte also Stimmen. Da, schon wieder, aber es war diesmal eine andere: »Ach Entschuldigung, ich wollte nur ...«

»Ja bitte?«

Er drehte sich um und sah eine Dame am Gartentor. Ein Mann wartete drei Meter hinter ihr.

»Ist das das Haus, in dem die Dichterin Desirée von Weitleben gewirkt hat?« Weitling runzelte die Stirn.

»Weitling, kein von und kein -leben! Ja, die hat hier gewohnt. Aber jetzt wohnen andere Leute drin.«

»Könnten wir das Haus mal angucken? «

»Leider nein, es ist alles vollkommen – privarrrt.«

»Schade, aber vielen Dank für die Auskunft!«

»Haben Sie mich gerade gefragt, ob ich Sie sehe und höre?«

Die Dame erschrak und wandte sich zum Gehen.

»Einen schönen Tag noch!«

Der Mann war bereits fortgegangen, Richtung Birkenallee.

»›Noch‹ sagt sie«, murmelte Weitling böse, »einen Tag ›noch‹.« Womöglich hatte er wirklich nur noch einen Tag. Wenn die Leute wüssten, was sie reden.

Er legte sich auf der Liege das Kissen zurecht, ließ sich nieder und wollte an etwas Schönes denken, zum Beispiel an seinen jüngst überstandenen siebzigsten Geburtstag, der vergnügt verlaufen war.

Er hatte den schwarzen Spazierstock mit dem runden Silbergriff bekommen, den man an der Ladenkasse über den Arm hängen konnte.

Der Verleger war erschienen und hatte Zigarren geraucht. Ein gefürchteter Kritiker, von dem Weitling noch nie gehört hatte, stand am Grill. Eine energiegeladene Literaturagentin übernahm den Ausschank und zapfte perfekt. Eine Leserin schwärmte zu sehr, trank zu viel, wurde überaus fröhlich und musste schon früh ins Quartier gebracht werden. Und ein Mann namens Benno, wahrscheinlich ein ziemlich berühmter Kollege, hielt eine lobende, lustige, nirgends peinliche Rede. Weitling klatschte glücklich, er mochte alle, die Benno hießen, seit er mit vierzehn auf einem Ackergaul dieses Namens reiten gelernt hatte. Benno war ein eigensinniger Haflinger, der am liebsten stehen blieb und an irgendetwas herumknabberte, man konnte ihn nicht auf Trab bringen, aber viel von ihm lernen – eine Persönlichkeit.

Das Gedächtnis für Jugenderlebnisse war geblieben, es wurde sogar besser. Erst ab dem Abitur wurde es hie und da schummerig, kein Wunder bei zwei Lebenslinien. Die eine, die zum Richter führte, war jetzt Konjunktiv, die andere, mit dem Ziel Schriftsteller, Indikativ. Aber auch das reale Leben entschwand ihm allmählich. Noch fiel es

Freunden und Bekannten nicht auf, denn er sah beim (seltener werdenden) Schreiben so aus wie immer. Zudem behauptete er, das Richterbuch beendet und in die Schublade gesteckt zu haben – er arbeite jetzt an einem Roman über den kommunistischen Propheten Wilhelm Weitling.

Je weniger er schrieb, desto bedeutender wurde das Buch. Es sollte, ließ der Autor wissen, vor allem Weitlings Verhältnis zum Christentum darstellen, das also, worüber er sich mit Karl Marx nicht einigen konnte. Er las jetzt – erstmals – in *Garantien der Harmonie und Freiheit*, jenem Buch, das ihm Vater 1958 zu Weihnachten geschenkt hatte, außerdem *Das Evangelium der armen Sünder* von 1845, für das Weitling als Gotteslästerer in einem Zürcher Gefängnis saß.

Der Verleger zeigte Interesse. Die Vorstellung, er könnte ein Buch herausbringen, das genauso heiße wie der Autor, beflügelte ihn. Aber sosehr er auch lockte, er bekam nichts zu lesen.

Den Spruch, der Tucholsky zugeschrieben wird: »Das bisschen, was ich lese, schreibe ich mir selbst«, variierte Weitling, um Neugierige abzuwimmeln: »Das bisschen, was ich noch schreibe, lese ich lieber allein.« Man lächelte wissend und sprach von Koketterie, was nicht ganz falsch war.

Sein Kurzzeitgedächtnis hatte gelitten. Er gewöhnte sich entschlossen ab, in Gesprächen einen Satz mit dem Wort »erstens« zu beginnen – er wusste, dass ihm das »zweitens« schon Sekunden später nicht mehr einfallen würde, von »drittens« gar nicht zu reden.

Aber je schwächer sein Erinnerungsvermögen wurde, desto seltsamere Blüten trieb es. Da waren plötzlich konkrete Szenen aus seinem Schriftstellerleben. Wurden jetzt auch Teile seines Gedächtnisses ausgetauscht? Er konnte ein langes Gespräch mit dem Verleger rekapitulieren, in dem es um *Kapodistrias* gegangen war. Er wusste wieder, dass er mit jenem Benno, einem Menschen von bärenhafter Erscheinung und feinstem Witz, eine Nacht lang Rotwein getrunken hatte, gezielt die staubigsten Flaschen aus dem Keller. Und er sah vor sich deutlich den Mann, dem er sein Schiff, die Plätte, abgekauft hatte, einen Unternehmensberater, der Romane las und dessen Freundin Gabriele hieß.

Er dachte an den Zettel unter der losen Fliese auf der Dachterrasse. Das war eine sichtbar gebliebene Flickstelle in der Matrix seines jetzigen Lebens, und sie war vielleicht ein Hinweis darauf, dass der Richter nicht völlig gelöscht, sondern als Parallelexistenz nach wie vor vorhanden war.

Da war beispielsweise auch jene Pension, die Monat für Monat auf seinem Bankkonto landete, überwiesen eindeutig nicht von der allgemeinen Rentenversicherung, sondern von der Landeshauptkasse Berlin: eine Richterpension! Er hatte das mit Astrid besprochen. »Füge dich, und nimm das Geld«, hatte sie empfohlen, »rätselhafte Geschenke sollte man annehmen, vielleicht kommen sie von ganz oben. Außerdem zahlt dir sonst keiner was.«

»Sich fügen bringt Segen«, hatte er sinnend geantwortet. Er wollte die Sache dann noch aufklären, aber er vergaß es.

Er ordnete noch einmal ausgiebig seine Gedanken über »oben«. Wenn überhaupt, dachte er, dann müsste man sich Gott unschlüssig denken. Er probiert herum, macht Fehler, überlegt, hat einen besseren Einfall und korrigiert sich! Ein Kreativer, Schöpfer eben, wie schon der Name sagt. Und es war, fand Weitling, ein großer Irrtum, sich Schöpfer als Ingenieure mit Blaupausen vorzustellen. Gott schuf etwas, ließ zum Beispiel ein Menschenleben beginnen, lernte beim Zuschauen, und wenn er genügend gelernt hatte, änderte er etwas – rückwirkend! Meister fielen nicht vom Himmel, selbst wenn sie dort wohnten. Gottes Weg konnte also noch lang sein, aber wenigstens saß er nicht irgendwo herum und wusste alles besser – er blieb unterwegs. Ab und zu kriegte er einen unglaublichen Menschen hin, dem man glauben konnte.

Im Grunde sprach nichts dagegen, sich die Geschichte so vorzustellen. Weitling beschrieb immer noch gern manches Geschehen als Folge dessen, was Gott tat oder nicht tat: »Und was tut Gott? Er lässt es ausgerechnet an diesem Tag regnen!« Von dieser Erzählweise musste er sich nicht verabschieden, nur weil er »nicht glaubte«. Dasselbe taten ja auch Märchen, in denen Gott Menschen auf die Probe stellte und je nach Ergebnis dann belohnte oder bestrafte. Es war einerseits vergnüglich, Märchen zu erfinden, und andererseits bitter, in einem sinnlosen »Weiter so« zu leben. Wenn Menschen Gott bemühten, dann aus Gründen erzählerischen Begreifens: Sinnlosigkeit ließ sich so gut wie nicht erzählen, sie war ja nur das Fehlen von etwas. Man konnte nur vom Etwas erzählen, aber nicht vom Nichts.

Er erinnerte sich nicht mehr an Details des Buches, das er als Richter hatte schreiben wollen oder sogar wirklich geschrieben hatte. »Ursprung und Zukunft des Rechtsempfindens«, möglicherweise auch »spes divina« – das wusste er noch.

Ein gut gemeinter Versuch war das gewesen, mehr wohl nicht. Um die Chancen des Menschen zur Besserung war es gegangen, um Helfen, Schenken, Verzeihen, Großzügigkeit, Freundlichkeit, vor allem Fairness. Als Anker all dessen hatte er sich diese höchste Person gedacht, Gott, der die Menschen beobachtete und Hoffnungen in sie setzte. Aber es war sicher schon damals mehr ein Kunstgriff als ein Glaube gewesen.

Oder sollte er tatsächlich »geglaubt« haben? Wenn ja, was sollte das aber sein, Glauben? Er erinnerte sich nur noch, wie er sich nach dem Autounfall entschlossen hatte, an Gott zu glauben oder zumindest jedem zu sagen, er täte es. Ein Bekenner des Glaubens hatte er ab sofort sein wollen, koste es, was es wolle, und einem solchen hatte er bestimmt ähnlich gesehen, wenn er zum Gottesdienst ging. Jetzt stellte sich heraus, dass das sich überschlagende Auto gar nicht mehr zu Weitlings Biografie gehörte.

Auch das mochte mit dazu beitragen, dass Weitling mit einer Person namens Gott, ungeachtet mancher freundlichen Details, letztlich nichts mehr anzufangen wusste. Er hatte das, was er für seinen Glauben gehalten hatte, nicht in die jetzige Existenz herüberschmuggeln können und es nach ein paar Monaten auch nicht mehr versucht. Dass er andererseits den Atheismus für einen Kampf gegen Windmühlen hielt, änderte daran nichts. Gott war für ihn nicht länger ein Vater und Vorgesetzter im Himmel, sondern nur der Name einer bestimmten Einstellung zum Leben, die in jeder einigermaßen vollständigen Weisheitslehre nahezu jeder Kultur beschrieben war. Weisheit und Tugend kamen ohne Religion aus, sie konnten, aber mussten sich nicht mit ihr vertragen. Vor allem wenn Religion ihren bedächtigen Bewahrern aus den Händen glitt, alle Weisheit einbüßte und zum aggressiven Wahn oder zum reinen Machtfaktor wurde.

Eigenschaften wie Humor, die Fähigkeit, Dinge hinzunehmen, die man nicht ändern konnte, Nächstenliebe, Abscheu vor Lüge, Diebstahl, Betrug, Erpressung, Gewalt und Töten kamen nicht nur in Predigten vor, sondern in jedem Menschen. Achtung vor der Freiheit anderer, Mitleid, Hilfsbereitschaft ohne Schielen zur Uhr, Freude am Freudemachen, Vertrauen zu sich selbst und anderen, die Gabe, hoffnungsvoll zu bleiben und andere zu trösten, ohne sie mit frommen Lügen zu quälen – all das entstand auch, aber nicht nur und nicht unbedingt durch Religion.

Es entstand durch Bildung und Formung dessen, was im Menschen angelegt war. Nicht Gott gab das vor, sondern die Gattung. Das war Weitlings Credo jetzt, und er war vollkommen sicher, dass er es nicht mehr ändern würde.

Er fand religiöse Bedürfnisse in der Regel sozialverträglich. Er respektierte namentlich, dass Religion manchmal Menschen half, »gut« zu sein, also resistent gegenüber einem Macht- und Bereicherungssystem, resistent sogar gegen Mehrheitsstimmungen. Er war aber für längere religiöse Bekenntnisse kein guter Zuhörer – er ging ihnen aus dem Wege.

Misstrauisch hatte der fromme Richter anfangs den glaubensfernen Schriftsteller beäugt, der er nun sein sollte. War das ein Mensch, der anderen schadete, der vom Bösen erlöst werden musste? Er war es nicht. Er war nicht egoistischer, nicht weniger hilfsbereit, zeigte sogar manchmal Bescheidenheit. In Sachen Menschenliebe waren sie Zwillinge, sie hatten beide Vertrauen in die menschliche Natur, empörten sich über Stumpfsinn, Gemeinheit und Ungerechtigkeit, waren deprimiert von Verschwendung hier und Elend dort, obwohl es ihnen persönlich an nichts fehlte. Sie waren in allem ziemlich gleich, nur dass der Autor sich weniger gern von anderen Menschen vorsagen und vorschreiben ließ, wie er für das Gute einzutreten hatte. Er gab diesem Guten auch andere Namen, ja, er ließ sich laufend neue einfallen und behauptete, genau das sei seine Aufgabe, weil Begriffe dazu neigten, sich zu verbrauchen und irgendwann nur noch Lüge zu sein.

Der Richter hatte sich nach dem glücklichen Davonkommen auf der Autobahn vom Atheisten zum Christen gewandelt, nun gut, aber warum? Wahrscheinlich, weil er Dankbarkeit demonstrieren wollte, irgendwohin oder nirgendwohin. Da war keine Erleuchtung gewesen, nichts hatte ihn durchströmt wie Musik. Weitling konnte sich jedenfalls nicht daran erinnern, und an so etwas erinnerte man sich doch unbedingt, sollte es stattgefunden haben.

Weitling hielt jetzt den Satz »Ich glaube an die Existenz Gottes« für überflüssig, weil er, wenn auch in religiöser Sprache, etwas Selbstverständliches ausdrückte. Kaum einer würde sagen »Ich glaube an das Vorhandensein von Erzählen« oder »an die Existenz des Deutens«, es käme ihm und anderen komisch vor.

So geschah es, dass die Frömmigkeit des Richters Weitling den Wechsel zum Schriftsteller nicht lange überdauerte und dass der alte Weitling bei Gesprächen über Gott gewöhnlich in ein anderes Thema auswich, wenn er nicht schon vorher eingenickt war.

Tochter Stella, auf ihre frische, freundliche Art eine entschlossene Christin, litt etwas unter ihrem Vater, denn sie sprach gern über Gott. »Lassen wir das«, pflegte er zu sagen und dann über Näherliegendes zu sprechen.

So ging es auch an seinem Geburtstag, als die Köchin, hoch gelobt für ihre Kunst, plötzlich von ihrem spirituellen Erleben anfing. »Ich sag's ungern«, hatte er geantwortet, »aber etwas mehr Essig hätte der Hühnersülze vielleicht nicht geschadet.« Niemand fand das peinlich, auch nicht die Köchin, man lachte, weil man Weitling kannte – länger als er sich selbst.

Insgesamt ein sehr gelungener Geburtstag, nur eine einzige Sache hatte ihn mächtig irritiert: Eine Bekannte aus der Münchner Gesellschaft behauptete, mit ihm 1945 und 1946 im Kinderheim gewesen zu sein. Ja, in Schlederloh im Isartal. Weitling meinte nur drei Monate dort verbracht zu haben, die Dame sprach von neun, und sie wisse das genau. Und er sei ja so ein lebhaftes Kind gewesen, richtig süß!

Die Dame phantasiert, hatte Weitling gedacht und noch am selben Abend in den Tagebüchern seiner Mutter nachgesehen: Die Dame hatte recht. Auch hier war also seine Vita jetzt geändert, erstmals sogar in der frühen Kindheit. Der Schriftsteller hatte viel längere Zeit ohne seine Mutter verbracht als der Richter.

Ob und wie sich das ausgewirkt haben könnte, darüber hatte er seit diesem Abend oft nachgedacht. Er konnte sich an das Kinderheim nicht mehr gut erinnern, wusste nur, dass er vor den anderen Kindern in Angst gewesen war und dass er jede Nacht ins Bett gemacht hatte! Vor allem fühlte er, schon wenn der Name Schlederloh nur fiel, immer noch einen Anflug der damaligen Verzweiflung. Sie war etwas, was den ganzen Körper ergriff: Hals, Rücken, Bauch, Knochen, es war wie ein dumpfer Schmerz bis in Finger und Zehen. Und bei alledem sollte er lebhaft und »richtig süß« gewesen sein? Kein Wort glaubte er davon! Im Elend hatte er gesteckt, und jetzt also für noch längere Zeit.

Die Sonne hatte es sich hinter dem Haus bequem gemacht, roter Schimmer umgab den Giebel. Längst waren die Handwerker gegangen, vielleicht durfte man sogar schon auf die Terrasse? Weitling erhob sich ächzend, griff nach dem Stock und wanderte hinein. Sicher gab es bald etwas zu essen. Er hatte Hunger, überdies Lust auf Wein und Gespräche – über Naheliegendes.

Beim Abendbrot saß er allerdings nur mit Niki und Susanne, Stellas Schwägerin. Mit der kamen Gespräche schwer in Gang, sie war zu schüchtern oder hatte zu viel Respekt. Dafür plapperte Niki drauflos wie alle, die sich zuverlässig geliebt fühlen.

Stella hatte das Essen vorbereitet, bevor sie nach München aufbrach, um ihren Mann vom Flughafen abzuholen und ihn gleich nach Traunstein zu bringen, er kam heute aus den USA zurück. Morgen ganz früh wollte sie dann Niki holen, die sicher protestierte – sie spielte so gern mit ihren Stötthamer Freunden im Uferschilf oder kraxelte auf dem Steilhang herum. Aber nun mussten ja alle zur Schule, Niki in Traunstein, die Freunde in Chieming.

Auf dem Tisch stand das alte Cabaret, die Drehbühne für Wurst, Käse, Radieschen, Gürkchen und Perlzwiebeln. Das Brot war geschnitten, die Butter war neu. Weitling liebte es, wenn auf der Oberfläche des Butterriegels noch das eingepresste Markenzeichen zu sehen war, er schätzte das auch bei Seifen. Der Rotwein stand schon eine Weile offen, die Hüfte schmerzte nicht ganz so wie sonst – es hätte alles ganz gut werden können. Niki hatte das Vergnügen entdeckt, das Cabaret in Schwung zu bringen, und Weitling überlegte, ob es weise gewesen war, ihr von der Zentrifugalkraft zu erzählen. In diesem Moment klopfte es an die Tür.

Weitling erschrak: die Verabredung! Er hatte völlig vergessen, dass sich für den Abend ein Journalist angemeldet hatte. Schlecht gelaunt setzte er sich mit ihm ins Fernsehzimmer und bot ihm ein Glas Wein an. Der Mann begann mit Komplimenten zum literarischen Lebenswerk, das machte Weitling noch missmutiger.

»Was wollen Sie, es war alles eitel und Haschen nach Wind.«

»Toll ausgedrückt! Darf ich das so bringen?«

»Gerne. Schreiben Sie aber dazu ›Prediger Salomo‹!«

Die nächste Frage zielte auf Weitlings Verhältnis zum Glauben. Ob er, ähnlich wie derzeit manche seiner Kollegen, altersbedingt zu ihm zurückgefunden habe.

»Nein, da muss ich Sie enttäuschen. Sie meinen wegen des Zitats? Bibelkenntnis gehört zur Allgemeinbildung.«

»Nun ja, vielleicht nicht mehr im Zeitalter des Internets…« Der junge Mann wollte sich offenbar rechtfertigen.

»Genau deshalb gibt es bald überhaupt keine Allgemeinbildung mehr«, sagte Weitling, »da haben Sie recht.

Die Leute sind nicht mehr gebildet, nicht einmal geformt, sie haben auch keine Urteilsfähigkeit mehr, weil sie auf ihrem Stuhl hocken und alles nur noch aus zweiter Hand wissen. Internet, wenn ich das schon höre!«

»Kann man das so …?«

»Ja, man kann. Suchen Sie mal einen urteilsfähigen Menschen unter siebzig. Sie finden hie und da Intelligenz, aber kaum noch Urteil. Suchen Sie mit der Lupe, suchen Sie mit dem Fernglas – Sie werden niemanden finden.«

»Was bedeutet Ihnen Bayern?« Der Journalist versuchte wohl, Weitlings Laune aufzuhellen. Aber der war jetzt bei jedem Thema ungnädig.

»Bayern ist nicht mehr, was es einmal war. Kein Brunnen vor der Haustür, die Scheunen allesamt zu Ferienwohnungen ausgebaut. Es riecht nirgends mehr nach Kuhmist, das ist der schlimmste Verlust. Ich gehe gar nicht mehr vor die Tür.«

Der junge Mann fragte, ob er lieber zu einem günstigeren Zeitpunkt wiederkommen solle.

»Rufen Sie mich an, mein Lieber, am Telefon bin ich ausgesprochen nett, außer wenn Sie mich gerade stören, das sage ich aber rechtzeitig.«

Weitling reichte dem Mann die Hand und war froh, sein Abendessen fortsetzen zu können. Ja, er fing an, drollig zu werden, und je mehr er es wurde, desto weniger litt er darunter.

Heute legte er sich früh ins Bett und suchte in einer Finanzzeitschrift nach Anlagetipps, weil er für Niki ein Depot einrichten wollte. Aber schon der Titel des Hauptartikels schreckte ihn ab: »Die schwerste Börsenphase meines Lebens« nannte ein Geldspezialist die jetzige Zeit, ein Mann, der mit seinen zusammengekniffenen Augen so aussah wie Lee Marvin in *Stadt in Angst*, einem von Weitlings frühen Lieblingsfilmen. Spencer Tracy, Ernest

Borgnine – diese Namen kamen noch. Zufrieden schlief er ein.

Weit nach Mitternacht wachte er auf, weil er eine Frauenstimme zu hören meinte.

»Opa?«

Er rührte sich nicht. Es war ja auch nicht Nikis helle Stimme.

»Großvater?«

Lieber nicht reagieren. Zwar hatte er schon am Nachmittag vermutet, dass die alt gewordene Nike unsichtbar zu Besuch war, aber was sollte das? Er war doch geistig noch nicht in einer anderen Welt.

»Wilhelm Weitling?«

»Na ja, was gibt's?«

»Ich bin Nike. Niki, deine Enkelin.«

»Längst begriffen. Wie alt?«

»Achtundsechzig.«

»Muss ein besonderes Alter sein. Da war ich auch auf Sommerfrische.«

»Meine Familie wartet auf mich im Jahre 2072, ich muss unbedingt zurück, aber wie mache ich das? Geht das überhaupt?«

»Die wissen noch gar nicht, dass du weg bist. Sie werden es auch nie erfahren.«

»Aber ich bin hier schon drei Tage.«

»Die Zeit vergeht dort nicht, während du weg bist.«

»Werde ich zurückkommen?«

»Ziemlich sicher.«

»Und wodurch? Wer kann das bewirken?«

»Ich weiß nicht. Vielleicht wieder die Patrone von General Patton, sie liegt ja noch da.«

»Wie?«

»Ein andermal bitte. Ich bin schrecklich müde.« Er widerstand der Versuchung, sie zu fragen, wie es im Jahre

2072 auf der Welt aussehe. Er wusste ja, Nike würde wiederkommen. Dann wollte er sie fragen. Hoffentlich brachte er die Frage präzise genug heraus, er ging jetzt oft Umwege.

Im Übrigen fand er ihren Besuch verfrüht. Er war doch noch ganz und gar von dieser Welt! Wieso konnte er bereits jetzt Sommerfrischler hören? Schon wieder ein Fehler da oben oder sonstwo. Und morgen würde er segeln gehen.

Er drehte sich zur Wand.

Wilhelm Weitling lebte noch ein paar Jahre glücklich und zufrieden. Er saß jeden Tag am Schreibtisch und schrieb irgendetwas. »Nulla dies sine linea«, sagte er schon nach dem Frühstück, so viel Latein musste sein. Er übersetzte das mit »Kein Tag ohne Zeile«. Manchmal weinte er, wenn er Astrid umarmte, er glaubte dann, sie monatelang nicht gesehen zu haben, auch wenn sie erst vor einer halben Stunde das Zimmer verlassen hatte.

Alle Fragen nach seiner Meinung, sei es über Politik, Wirtschaft oder die von ihm besonders wenig geliebte Kultur, beantwortete er jetzt regelmäßig mit: »Alles eitel und Haschen nach Wind.« Und einmal sagte er beim Frühstück, er würde gern noch eines lernen: wie sich aus dem Kaffeesatz die Zukunft lesen lasse. Das interessiere ihn rein handwerklich.

Astrid freute sich weiter an ihm und liebte ihn, und manchmal war er ja auch ganz klar. Hin und wieder bat er sie sogar, die »Geschichtsstunden« fortzusetzen. So stellte er eines Tages die Frage: »Was meinst du, hatte ich in meinem Leben einen mutigen Moment? Weißt du was davon?«

»Du hattest ziemlich viele«, antwortete sie, »nicht zuletzt hast du mich ja geheiratet.«

»Und noch eins: Ich wüsste gern, wie es mir im Moment als Richter geht. Der kann doch unmöglich ganz weg sein! Er muss noch irgendwo leben.«

»Nur in deiner Phantasie, glaube ich. Sie fühlt sich manchmal wie Erlebtes an. Das musst du jetzt wohl hinnehmen.«

»Es gibt für mich neuerdings zweierlei Erinnerungen, immer noch viele alte und ein paar neue, bisher nie gewesene, die immer mehr werden. Man müsste sie alle zusammen aufschreiben, und wie beim Lesen in einem elektronischen Buch kann man auf einen Knopf drücken: Da leuchten die Erlebnisse des Lebens A in Rot auf, die des Lebens B in Grün, und das, was in beiden Leben gleich ist, bleibt schwarz.«

»Das ist wohl eher was für Juristen.«

»Astrid, ich glaube inzwischen, es gibt dieses andere Leben doch weiterhin. Der Richter, der ich war, lebt irgendwo. Allerdings ohne Doktortitel, nehme ich an.«

»An den Richter kommen wir nicht mehr ran.«

»Macht nichts, ich hätte ihm nur gern noch mal Hallo gesagt.«

Er fühlte, dass seine Kräfte nachließen, aber er war dankbar für jeden guten Augenblick seines Lebens. Einige würden noch kommen, kein Zweifel. Und sie kamen.

Da war diese Einladung nach Griechenland, die ihn sehr freute, er konnte allerdings nicht mehr reisen. Eine hohe Ehre, und natürlich wegen *Kapodistrias*. Sie brauchten zurzeit wieder so einen wie den oder einen neuen Perikles. Gäbe es ihn, er würde vielleicht nicht überleben, dachte Weitling. Der Familien wegen.

Er erlebte Nikis Konfirmation – das war nicht zu vermeiden bei Stellas Frömmigkeit, aber eigentlich: warum nicht? Alle waren froh, und er liebte es, wenn die Seinen froh waren.

Dann kam der Tag, an dem Stella ihn im Auto nach Innerlohen fuhr und seinen Rollstuhl stundenlang durch den Wald schob. Er wollte gar nicht zurück und erzählte ihr lebhaft von einer Tätigkeit als Förster und Diplom-Holzwirt in Marquartstein, die möglicherweise nicht stattgefunden hatte, aber er wusste viel über Maserungen, Jahresringe, Schnitttechniken und Holzarbeiten aller Art. Er sprach aber auch davon, dass das Anfertigen nutzloser Holzgegenstände eine Perversion sei, wenn auch eine sozial anerkannte. Anderntags hatte er für Niki aufgezeichnet, wie eine Fuchsfalle aussehen könnte. Aber das war vielleicht nichts für Mädchen, außerdem war sie verliebt.

Oder die Nacht, als er sich plötzlich, aus einem Traum aufwachend, an einen der beherzten Momente seines Lebens erinnerte: In seiner Rekrutenzeit in Starnberg war ein Ausbilder ein arger Schleifer. Stundenlang musste der Zug immer wieder die Steilwand der Maisinger Schlucht erklimmen, mit klappernder Ausrüstung und rasselndem Atem. Infanteriegefechtsausbildung nannte man das, ein langes Wort, und Weitling wusste es noch! Oben stand der Feldwebel und brüllte: »Schlappschwänze. Ein Sauhaufen seid ihr. Gleich noch mal!« Worauf er, Funker Weitling, unaufgefordert das Wort ergriff und ganz ruhig sagte:

»Wir sind kein Sauhaufen. Wenn Sie in den Maisinger Bach fallen und am Ertrinken sind, würde jeder von uns sein Leben riskieren und Sie retten. Aber bei einer sinnlosen Schinderei machen wir so wenig wie möglich!« Der Ausbilder hätte ihn jetzt herauspicken und ihm »Stoff geben« können bis zum Umfallen. Oder er hätte die Arme in die Seiten stemmen können: »Sinnlos!? Sie sind ja – wissen Sie, wie viele Kilometer die Kommunisten von hier entfernt stehen?«

Aber der Feldwebel hatte verstanden. Das macht Vorgesetzte wehrlos. Er sagte nur »Ruhe jetzt!«, ließ den Zug antreten und in die Unterkunft marschieren. Der Vorfall blieb ohne Folgen.

Ich war schon ganz gut, dachte er, nicht immer, aber manchmal. Er sah zum Fenster. Hinter den Jalousien wurde es hell. Er nahm wahr, dass Stella an seinem Bett saß, ja Stella, nicht Astrid. Ein Mann stand dabei und fühlte Weitlings Puls. Ein Arzt? Dann war er wohl jetzt mit dem Sterben dran. Er schloss die Augen. Ging es schon los?

Mit einem Mal sah er ein Bild: Sich selbst sah er, wie er mit Astrid am Tisch saß, zwischen ihnen lag ein Fotoalbum – es war eine der Geschichtsstunden. Dann erschien ihm unvermittelt ein Angeklagter, der sympathisch aussah, weil er gerade ein Geständnis ablegte. Ein Kranführer, wusste Weitling, neun Jahre. Dann erkannte er Astrid im Brautkleid, wie sie vor dem Priester stand, und sie antwortete auf die Frage, ob sie Dr. Wilhelm Weitling zum Ehemann nehmen wolle, erst mal nur »hm«. Er lächelte. Manche glücklichen Ehen fingen eben mit »hm« an. Vielleicht wäre alles schiefgegangen, wenn Astrid sofort ein simples »ja« herausgebracht hätte.

Gleich darauf ein anderes Bild: Da stand ein Sarg, in einem öden Krematoriumssaal, dazu beleidigte eine wabernde Trauermusik das Ohr. Wer lag in diesem Sarg? Er schaute nach rechts, da saß seine Mutter, Anfang fünfzig, immer noch schön, sie hielt den Kopf gesenkt. Da, schon wieder, dachte er: Ich erinnere mich an Dinge, die ich bisher nur in Astrids Geschichtsstunden gelernt habe, aber nie als Bild vor Augen hatte. Mein Vater stirbt mit sechsundsechzig, alle sind fassungslos, dann diese Feier, bei der niemand redet, nur die schreckliche Musik ist zu hören. Einer wie Forstrat Banholzer müsste jetzt reden, und man sollte ein Stück von Anton Webern spielen, zeitlose Amselmusik, alles andere ist hier Kitsch.

Aber schon ging es weiter, er erkannte sich als Knaben mit roten Ohren, wie er Roswitha erklärte, er glaube, dass er sie liebe. Bald darauf war er ein kleiner Häuptling mit mächtigem Schulranzen, der unter den Kastanien des Dannerbergs zur Chieminger Volksschule hinaufwanderte.

Es muss ein Film sein, dachte er, am Ende gibt es also Kino.

Eine riesige Sommerwiese mit Schierlingspflanzen sah er, zwischen deren großen Blütenständen der blonde Schopf eines Fünfjährigen kaum zu erkennen war. Und gleich darauf war Winter: Er versuchte am Ufer mit dem Wegmachermädchen ein Zauberzelt aus dünnen Eisplatten zu bauen – der See war am Zufrieren. Sogleich war es aber wieder Sommer: Der Wegmacher-Franz watete in seinen schenkelhohen Gummistiefeln, mühsam wegen des steifen Beins, und suchte mit der Mistgabel aus dem flachen Wasser große Steine zusammen, um sie zur Mole zurückzutragen.

Jetzt ging es noch mal ein Stück zurück: Er war als Vierjähriger im Kinderheim und erzählte und redete in einem fort mit großen Augen. Lauter Kinder saßen um ihn herum und hörten etwas von Schlangen und Löwen und Elefanten, und wie man Elefanten am besten einfangen könne, bei zweien habe er es bisher geschafft, alles in Chieming am Chiemsee, wahnsinnig weit weg von Schlederloh.

Durch das Bild begriff Wilhelm Weitling endlich, wieso er dieses Mal Schriftsteller geworden war: Sein Aufenthalt im Heim war lang genug gewesen, um ihn entdecken zu lassen, wie er – erfindend und erzählend – unter lauter ihm eher unheimlichen Menschenkindern überleben konnte. Nichts anderes tun Schriftsteller.

Der Mann, der vielleicht Arzt war, sagte jetzt: »Ich denke, es dauert noch. Glaubt er eigentlich an Gott?«

Sie waren am Hinausgehen.

»Schwer zu sagen, er redet nicht darüber.«

Mehr war nicht zu verstehen, die Tür schloss sich.

Ihn, Weitling, hatten sie nicht mehr gefragt. Dabei hätte er eine Antwort gehabt: »Gott gibt es. Wie wäre ich sonst zu zwei Leben gekommen?«

Inhalt

Sten Nadolny

Die Entdeckung der Langsamkeit

Roman. 359 Seiten.
Piper Taschenbuch

Über die Kunst der Langsamkeit, die dem Rhythmus des Lebens Sinn gibt – Sten Nadolnys vielfach preisgekrönter Bestseller über den englischen Nordpolfahrer John Franklin.

»Nadolny und sein John Franklin entdecken die Langsamkeit als menschenfreundliches Prinzip. Man könnte auch sagen: die Bedächtigkeit, den vorsichtigen Umgang mit sich selber und den Dingen.«
Die Zeit

»Dieses Buch kommt, scheint's, zur richtigen Zeit. Nadolnys heute ganz ungewöhnliche ruhige Gegenposition im gehetzten Betrieb der Politiker und Literaten hat etwas Haltgebendes und unangestrengt Humanes.«
Der Tagesspiegel

Sten Nadolny

Netzkarte

Roman. 164 Seiten.
Piper Taschenbuch

Ole Reuter, liebenswerter Taugenichts und Lehrer von Beruf, fährt mit einer Netzkarte der Bundesbahn kreuz und quer durch die Republik. Ihn treibt der Reiz des flüchtigen Augenblicks, die Lust am Unterwegssein, die Aussicht auf ein erotisches Abenteuer.

»Seit Tucholsky hat keiner so scheinbar absichtslos Pointen gesetzt, so frappant in irgendeiner belanglosen Schilderung Ausblicke auf Politik, Philosophie und Sinngebung des Lebens freigegeben.«
Hilde Spiel

»So unterschiedlich die Hauptdarsteller in seinen Büchern auch sind, eines verbindet sie: der besondere Blick auf das kleine Abenteuer und das große Erleben ... Das Staunenkönnen zeichnet Sten Nadolnys Helden wie ihn selber aus, und er lehrt es seine Leser neu.«
FAZmagazin